HOLT

Elements of Language

FIFTH COURSE

Spanish Resources

- Translations from Part 3 Chapters
- Translations of MiniReads from *Alternative Readings*
- Translations from the Quick Reference Handbook
- Grammar at a Glance in Spanish
- Teaching Notes

HOLT, RINEHART AND WINSTON

A Harcourt Education Company

Orlando • Austin • New York • San Diego • London

ISBN 978-0-03-099191-2
ISBN 0-03-099191-9

2 3 4 5 6 018 13 12 11 10 09 08

Table of Contents

For the teacher...vii

Chapter 21 | Narration/Description: Sharing Experiences

Taller de lectura: Leer una narración autobiográfica 3

    Selección: "Alcanzar la cima" por Jon Krakauer...5

Mini-Lectura: "Etapas de la vida" 9

Taller de escritura: Escribir una narración autobiográfica.....................................11

Modelo de un escritor: "Una sorpresa de las vacaciones de primavera" 12

Chapter 22 | Exposition: Defining Concepts

Taller de lectura: Leer una definición amplia...15

    Selección: "Bienvenido al ciberespacio: ¿qué es? ¿dónde está? y
    ¿cómo se llega allí?" por Philip Elmer-DeWitt..17

Mini-Lectura: "Integridad"...22

Taller de escritura: Escribir una definición amplia 24

Modelo de un escritor: "¿Qué es el valor?"..26

Chapter 23 | Exposition: Reporting Progress

Taller de lectura: Leer un informe de progreso..29

    Selección: Programa Emparejamiento para perros mascotas en
    las prisiones 30

Mini-Lectura: "Hecho a la medida: Mi batalla con los catálogos".......................33

Taller de escritura: Escribir un informe de progreso 35

Modelo de un escritor: Informe de progreso de un proyecto final de ciencias
sociales: Presentación de "El sendero de lágrimas de los cheroquí" 36

Table of Contents

Chapter 24 | **Exposition: Exploring Problems and Solutions**

Taller de lectura: Leer un artículo de problema y solución 39

    Selección: "Loro solo y sin compromiso" por Mac Margolis 40

Mini-Lectura: "Salvemos la ciudad hundida" 45

Taller de escritura: Escribir un ensayo de problema y solución 48

Modelo de un escritor: "Demasiado de algo bueno" 49

Chapter 25 | **Exposition: Analyzing a Novel**

Taller de lectura: Leer un análisis literario de una novela 53

    Selección: "El personaje de Pearl" por Nina Baym 55

Mini-Lectura: "La historia 'exterior' e 'interior' en *Ethan Frome*" 58

Taller de escritura: Escribir un análisis literario de una novela 60

Modelo de un escritor: "Sueños vacíos—vidas vacías" 61

Chapter 26 | **Exposition: Exploring Historical Research**

Taller de lectura: Leer un artículo histórico 65

    Selección: "Hasta nuestros más queridos monumentos tuvieron
que pasar la prueba por fuego" por Andrea Gabor 67

Mini-Lectura: "El huerto que hizo historia" 73

Taller de escritura: Escribir una composición de investigación histórica ...76

Modelo de un escritor: "Bellas sorpresas de un saxofón alto: El lugar de
Charlie Parker en la historia del jazz" 77

Table of Contents

Chapter 27 | **Persuasion: Taking a Stand**

Taller de lectura: Leer un editorial..83

    Selección: "Limpieza del baloncesto universitario" por
Lee C. Bollinger y Tom Goss..85

Mini-Lectura: "Frankencomida" 88

Taller de escritura: Escribir un editorial..90

Modelo de un escritor: "Cancelen el toque de queda"..............................91

Chapter 28 | **Persuasion: Reviewing Nonfiction**

Taller de lectura: Leer una crítica de un libro...95

    Selección: "Un tema candente" por William J. Broad............................97

Mini-Lectura: "Una voz en yermo: Nunca grites ¡lobo!"............................101

Taller de escritura: Escribir una crítica de libro 103

Modelo de un escritor: "Meriwether Lewis: Retrato de un explorador" ...104

Chapter 29 | **Persuasion: Evaluating Advertising**

Taller de lectura: Leer una crítica de publicidad 109

    Selección: "Se alquilan bananas" por Michiko Kakutani 110

Mini-Lectura: "Leer al estilo de los ricos y famosos"................................114

Taller de escritura: Escribir una evaluación de un anuncio.......................116

Modelo de un escritor: "¿Cuánto vale un bigote de leche?" 117

Table of Contents

**Quick
Reference
Handbook**

Guía de consulta rápida

El Diccionario 122

La biblioteca y el centro de medios 125

Lectura y vocabulario 136

Estudiar y tomar pruebas 147

Escribir 158

Un vistazo a la gramática 164

Teaching Notes

Overview

This booklet contains Spanish translations of selected materials from the *Elements of Language* Student Edition and from the *Alternative Readings* ancillary booklet. The selections in *Spanish Resources* are intended to help you more effectively reach English-language learners whose first language is Spanish. Because academic language is mastered later than social language, you may have students in your classes who communicate well with peers but have difficulty comprehending information in textbooks. The selections in this booklet can help your students bridge the gap between social and academic language by developing academic skills for which students are cognitively ready while their understanding of academic English is still developing.

Teaching Strategies

Communications: Comunicaciones

Use the selections from Part 3 in this booklet along with the Student Edition in your classroom. As other students read the Reading Preview, Reading Selection, Writing Workshop Preview, or Writer's Model in the Student Edition, allow students whose primary language is Spanish to read the same selections translated into Spanish. If you have several such students in a given class, you may wish to allow them to discuss what they have read in pairs or small groups before having a whole-class discussion of the selection. The following sections discuss strategies specific to each Part 3 selection.

Reading Preview: Taller de lectura

The Reading Preview in each chapter prepares students for the Reading Selection in two ways: First, it activates students' prior knowledge about the topic of the selection or about the type of writing it represents, which will increase their comprehension of the Reading Selection. Second, it introduces students to the Reading Skill and Reading Focus for the selection. This introduction will help students develop reading skills and recognize characteristics of certain types of writing as they read the selection. It will also enable them to answer more thoughtfully and accurately the numbered active-reading questions that accompany the Reading Selection, because these questions direct students to practice the Reading Skill and to identify elements of the Reading Focus in the selection.

Reading Selection: Selección

Spanish translations of the Reading Selections and numbered active-reading questions for all Part 3 chapters of the Student Edition are included in this booklet. Answers to the Active-Reading questions are located in the Teacher's Edition. When you guide your students in reading the Reading Selection and completing the numbered active-reading questions, provide students whose primary language is Spanish with a copy of the translated selection from this booklet. Encourage these students to read the English version as much as possible, using the Spanish version for support in difficult passages. Allow students whose primary language is Spanish to discuss the selection and questions in small groups before they write responses or participate in a whole-class discussion of the questions.

To increase students' comprehension of the Reading Selections and mastery of English, you may wish to use the following strategies with the Spanish translations of the selections:

- Before they read, have students make predictions in English about the content of a selection based on its title and on the information in the Spanish translation of the Reading Preview. Then, have students confirm or adjust their predictions as they read the selection.

- Have students briefly summarize in English a Reading Selection they have read in Spanish. They may begin by summarizing the Reading Selection in Spanish. Then, have native English speakers work with proficient Spanish speakers to summarize the selection in English.

- Have students create a graphic organizer in English as they read to help them keep track of the main ideas and support in the Reading Selection.

MiniRead: Mini-Lectura

Use the MiniRead selections in this booklet as you would use the English-language MiniRead selections: to reinforce and extend the reading or writing concepts particular to a Part 3 chapter, or to practice the reading skills and strategies discussed in the Quick Reference Handbook, using these selections. Answers to the Active-Reading questions in each Mini-Lectura are located on the *Teacher One Stop®*.

Also, consider using selections from the Spanish translations of MiniReads to help native Spanish speakers develop their English reading skills. Have available a selection of books and magazines for younger children on the topics of the MiniRead selections. After a student has read a Spanish selection, guide him or her to the appropriate English book or article. The student should read for general comprehension, rather than look up every unfamiliar word in the English selection. After the student has read the English selection, have him or her discuss it with a partner, comparing how the two selections addressed the topic.

Writing Workshop Preview: Taller de escritura

The Writing Workshop preview leads students from familiar experiences into the specific type of writing taught in the Writing Workshop. You may find that some students require

Teaching Notes

this scaffolding in order to understand Writing Workshop concepts, while others may have had more experience with the type of writing in this section of the chapter. For these students, the most useful portion of the preview will be the What's Ahead? feature. Students whose primary language is Spanish can use this feature as a checklist to track their understanding of the major Writing Workshop concepts. Consider providing mini-lessons on any concepts in the list with which students are having difficulty, and if necessary, adjust your assessment of final writing products accordingly.

Writer's Model:
Modelo de un escritor

Each Writer's Model has been translated into Spanish in its entirety, including annotations. As other students read A Writer's Model in the Student Edition, give students whose primary language is Spanish a copy of the translated Writer's Model from this booklet.

You may wish to help students identify the structure of the model by having them fill in a blank Framework with the information identified by the Writer's Model annotations. Encourage students to follow the structure of the model and include the features noted in the annotations in their own drafts.

Some students may be able to write drafts entirely in English or to dictate drafts in English to you or a classmate. Other students may need to use a mixture, writing primarily in English, but using Spanish when they have difficulty finding the right expression in English. Some students may need to write drafts entirely in Spanish. Allow these students to work with another student fluent in both English and Spanish to translate drafts into English, or consider enlisting the help of a bilingual teacher, aide, or volunteer.

To help students revise effectively, have them first annotate their drafts as in the Writer's Model and consider what features of the Writer's Model are missing from their own drafts. You or a classmate may need to ask specific questions about the content of a piece (such as, "How did you feel when that happened?" or "What was Guanajuato like?") in order to help students add types of information missing from the draft.

Quick Reference Handbook:
Guía de consulta rápida

Spanish Resources includes selected entries from the following sections of the Quick Reference Handbook (Guía de consulta rápida) of the Student Edition: The Dictionary, The Library/Media Center, Reading and Vocabulary, Studying and Test Taking, Writing, and Grammar at a Glance. These selections are intended to be used for student reference, so consider making them available for students to consult

Teaching Notes

whenever necessary. When a student whose primary language is Spanish has difficulty with a particular academic concept or term, have him or her read the appropriate section or entry for explanation. You may also provide copies of specific sections from the Quick Reference Handbook to native Spanish speakers when you give a mini-lesson on a particular skill by using Part 4 of the Student Edition.

NOTE: Illustrations in the Quick Reference Handbook are not reproduced in *Spanish Resources*. Page references in this booklet direct students to the illustrations that explain a concept or technique in the Student Edition.

The Dictionary: El diccionario

A dictionary is an indispensable tool for English-language learners. To be sure native Spanish speakers get the full benefit of using a dictionary, give them a copy of this section to keep handy. Consider reviewing with these students the pronunciation symbols in a classroom English dictionary. Ask students to pronounce several words aloud, and correct pronunciations as needed. Also, note the listings of idioms for a few entries in a classroom English dictionary, and distinguish the meanings of these from the literal meanings of the words.

The Library/Media Center: La biblioteca y el centro de medios

Some English-language learners may find the school library or media center overwhelming. This section of *Spanish Resources* provides tips to help students locate print and online information in the library or media center. Consider using the following strategies to help students begin to navigate the many resources available to them in the school library or media center.

- Give students whose primary language is Spanish a copy of the section of this booklet including the *Call Number (Número de catálogo)* and *Card Catalog (Fichero)* entries. Have students first identify the types of information noted in the numbered list for the sample cards or online catalog entries. Next, ask each student to identify a subject of personal interest and to visit the library or media center in order to find information on the subject. With the help of the school librarian, assist students in looking up their chosen subjects. Then, show students the area of the library that corresponds to the call number on the book of greatest interest about the subject, and guide them through the process of checking out the book, if they wish.

- Give students whose primary language is Spanish a copy of the section of this booklet containing the entries for *World Wide Web (La red mundial)* and *World Wide Web, Searching (La red mundial, buscar)*. Have students practice searching for information on a subject of interest, using either a search

Teaching Notes

engine or a directory. If students use a search engine, have them use the suggestions in the chart titled "Refining a Key Word Search (Refinar una búsqueda con una palabra clave)," and have them use a thesaurus or discuss with others alternate search terms more likely to find sites with the information they seek. If students use a directory, have them consult a dictionary to be sure they understand the likely contents of each category and subcategory listed.

Reading and Vocabulary: Lectura y vocabulario

This section of *Spanish Resources* contains explanations and examples of a variety of reading skills and strategies that will aid students needing help with comprehension, as well as tips for understanding the meanings of unfamiliar vocabulary.

- Have students practice selected skills and strategies using the Spanish translations of Reading Selections, Writer's Models, and MiniReads found in this booklet.
- Have students review the section on interpreting visuals and graphics. Then, have them apply the strategies to interpret visuals and graphics found in their science or social studies textbooks.
- Have students read the Vocabulary section and practice defining words based on the various types of context clues. Explain that context can also help them to determine the meanings of idioms and multiple-meaning words, English terms that may be particularly challenging to English-language learners.

Studying and Test Taking: Cómo estudiar y tomar pruebas

Taking tests can be more of a challenge for English-language learners than for other students. This section of *Spanish Resources* contains strategies to help students whose primary language is Spanish study effectively and choose the correct answer on the types of tests they are likely to encounter.

- Have students practice taking study notes for a social studies or science class using the strategies in this section. To build English skills while memorizing the most important information, students can first take notes in Spanish on a portion of their social studies or science textbooks and then work to rewrite the notes in English. As a final step, have them work with other students to confirm their understanding of the text.
- Allow students whose primary language is English to refer to a copy of the information on Test Taking strategies when they take tests. Also, have students write the English words for each of the Key Verbs That Appear in Essay Questions (Verbos clave que aparecen on las preguntas de los ensayos) next to the Spanish words. You will find these words in the same chart in Part 4 of the Student Edition.

Teaching Notes

Writing: Escribir

The Writing portion of *Spanish Resources* can help native Spanish speakers develop the foundation for writing solid compositions, whether in English or in Spanish. Students can use any of the prewriting strategies and graphic organizers for finding ideas, gathering information, and arranging ideas that they feel will be helpful. Ask them to use the suggestions and examples for the content of a composition as they draft. You may wish to have students not yet able to write an entire composition in English create an outline or conceptual map in English and write the composition in Spanish or in a combination of Spanish and English. If possible, have these students work with a bilingual classmate, aide, or volunteer to translate major pieces into English.

Grammar at a Glance: Un vistazo a la gramática

Grammar at a Glance is a glossary of grammar, usage, and mechanics terms with examples. Explanations of each term are given in Spanish, followed by examples of the concept in English. Refer students having difficulty with a particular concept to the appropriate entry in Grammar at a Glance in the Student Edition, and have them make note of the English term for the item as well. You may wish to have students work with a partner to discuss the examples.

Selected Translations from Communications, Part 3

- Reading Workshop Preview
- Reading Selection
- MiniReads from *Alternative Readings*
- Writing Workshop Preview
- A Writer's Model

Leer una narración autobiográfica

¿QUÉ APRENDEREMOS?

En esta sección leerás parte de una narración autobiográfica y aprenderás a:

■ identificar la secuencia narrativa

■ encontrar y clasificar los detalles descriptivos y narrativos

¿Alguna vez has querido escalar una montaña? A los veintitrés años, Jon Krakauer escaló solo la cima del Devil's Thumb (el Pulgar del Diablo), un peñón de seis mil pies que se alza sobre el nevado Stikine en Alaska. Su narración autobiográfica, que comienza en la siguiente página, te mostrará lo difícil y emocionante que fue entonces su experiencia, y lo que aprendió acerca de sí mismo una vez que ésta había terminado. Como ocurre con la mayoría de los escritores de ensayos tan personales, Krakauer no sólo quiere hacer una descripción de su experiencia a cada paso, quiere comunicar su sentido profundo.

Preparación para la lectura

Identificar la secuencia narrativa Cuando nos preguntamos *¿Y después qué pasó?*, se trata de una pregunta acerca de la **secuencia narrativa,** o el orden particular de los eventos en una narración. Cada experiencia ocurre en **orden cronológico,** es decir, en una sucesión de tiempo. Aun así, para poder hablar mejor de su experiencia, un autor puede alterar el orden cronológico, mediante una retrospectiva en la narración, para que la narración sea más dramática. Mientras lees la selección en la siguiente página, toma nota de cómo el autor te informa del paso del tiempo. Busca fechas y palabras claves como *luego, entonces* o *después.*

DESTREZA DE LECTURA

Detalles descriptivos y narrativos Si la secuencia narrativa es la estructura o esqueleto de una narración autobiográfica, los **detalles descriptivos** y **narrativos** son la carne y los tendones de ese esqueleto. Estos detalles son las herramientas que los escritores usan cuando quieren que los lectores *vean, escuchen* y *sientan* la experiencia relatada.

ENFOQUE DE LA LECTURA

Algunos tipos específicos de detalles descriptivos y narrativos son el **lenguaje sensorial,** un lenguaje que es dirigido a los sentidos; los **pensamientos** y las **emociones** del autor; y el **diálogo,** o la transcripción exacta de la conversación entre los personajes descritos en la narrativa. Mientras lees "Alcanzar la cima", busca los detalles descriptivos y narrativos.

En el siguiente fragmento de *En tierra salvaje (Into the Wild)*, el autor Jon Krakauer comienza su relato hablando de su amor por escalar montañas y su decisión de conquistar Devil's Thumb. Sin embargo, por la extensión del relato, los primeros dos intentos de Krakauer fueron omitidos, omisión señalada por una línea de asteriscos después del tercer párrafo. Krakauer fracasó en ambos casos por las fuertes tormentas y la roca cubierta de hielo. Comenzando en el cuarto párrafo, Krakauer narra su tercer intento, exitoso, de alcanzar la cima, partiendo desde el campamento en el lado noreste de la montaña. Mientras lees, anota tus respuestas a las preguntas de lectura activa.

Extracto de En tierra salvaje

Alcanzar la cima

Por Jon Krakauer

En mi juventud, me dicen, fui obstinado, ensimismado, actuando con frecuente imprudencia, malhumorado. . . . Si algo capturaba mi indisciplinada imaginación, lo perseguía con un entusiasmo que bordeaba en la obsesión, y desde los diecisiete años hasta casi los treinta ese algo era escalar montañas.

> **1.** ¿Cómo capta tu atención la primera oración?

Dedicaba casi todo el día a pensar en, y luego en llevar a cabo, la ascensión de lejanas montañas en Alaska y Canadá. Picos obscuros, empinados y aterradores que nadie en el mundo, además de un puñado de fanáticos del alpinismo, conocía. Algo bueno, en efecto, vino de todo esto. Mientras que ponía mis vistas en una cima tras otra, pude mantener cierta sobriedad cuando atravesaba la niebla que sigue a la adolescencia. Escalar importaba. El peligro bañaba al mundo con un brillo halógeno que hacía que todo, el contorno de la roca, los líquenes naranja

> **2.** ¿Qué piensa y siente el escritor sobre el alpinismo y su juventud?

y amarillo y la textura de las nubes, saltara desde su sitio en relieve alucinante. La vida pulsaba más aprisa. El mundo se volvió real.

En 1977, . . . se me ocurrió la idea de escalar una montaña llamada Devil's Thumb. Una aparición de diorita esculpida por glaciares antiguos hasta lograr el peñasco de gigantescas y espectaculares proporciones, esta cima es impresionante, en especial desde su lado norte: su gran pared, que nadie había escalado nunca, se alza de golpe seis mil pies desde la base del hielo glaciar, el doble del monte El Capitán en el parque Yosemite. Iría, entonces, a Alaska, esquiaría tierra adentro desde el mar, atravesando treinta millas del hielo, y ascendería este formidable *pasadizo*. Decidí, además, que lo haría solo. . . .

* * * *

Sabía que a veces la gente se moría escalando montañas. Pero a los veintitrés, mi propia mortalidad, la idea de mi propia muerte, todavía no quedaba dentro de la esfera de mi comprensión. Cuando partí de Boulder, Colorado, para Alaska, la cabeza llena de visiones de gloria y redención en

Devil's Thumb, no pensé jamás en el hecho de que estaba sujeto a las mismas relaciones de causa y efecto que gobernaban las acciones de los demás. Como quería escalar la montaña tanto y había pensado en el Thumb durante tanto tiempo, parecía estar bien lejos del mundo de lo posible el que cualquier obstáculo menor, como el clima, las cañadas profundas o la piedra gélida pudieran contrariar mi voluntad.

Al atardecer,[1] amainó el viento y el techo de las nubes subió otros 150 pies sobre el glaciar, permitiendo que encontrara el campamento central. Llegué a la tienda de campaña sin mayor incidente, pero ya era claro que el Thumb había hecho inservibles todos mis planes. Tuve que reconocer que la voluntad[2] por sí sola no era suficiente para remontar la pared norte, por más poderosa que fuera. Vi que, al final, nada podría serlo.

Había una oportunidad más para salvar lo que quedaba de la expedición. La semana anterior había esquiado hasta el lado sudeste de la montaña para reconocer la ruta por la cual deseaba hacer el descenso después de haber conquistado la pared del norte; era la ruta que Fred Beckey, el alpinista legendario, había seguido en 1946 cuando hizo el primer ascenso al Thumb. Durante ese reconocimiento[3], había encontrado una ruta alterna muy clara, que no había sido usada, a la izquierda de la ruta Beckey, que no era más que un entramado poco constante de hielo por la cara del sudeste. Esta ruta alterna me pareció de inmediato una forma muy fácil de alcanzar la cima, y por lo tanto poco digna de mi atención. Ahora, después del fracaso del primer intento con el pasadizo, me podría conformar con algo menos.

3. ¿Qué palabras de orden se usan en este párrafo?

En la tarde del 15 de mayo, cuando la tormenta de nieve por fin menguó, regresé a la cara del sudeste y escalé hasta un angosto resalte que se juntaba más arriba con el pico, como el arbotante de una catedral gótica. Decidí pasar la noche ahí, en la breve saliente, a sólo mil seiscientos pies bajo la cima. El cielo crepuscular estaba frío y sin nubes. Podía ver claramente hasta las charcas dejadas por la marea y más lejos. Al atardecer vi las luces de Petersburg[4] encenderse una a una en el oeste. Las luces distantes eran lo más cercano que había tenido al contacto humano desde que me había dejado caer suministros el avión, y desencadenaron un torrente emotivo que me dejó sorprendido. Imaginaba a gente viendo el béisbol en la televisión, comiendo pollo frito en cocinas bien iluminadas. . . Cuando me dormí ya me había conquistado una soledad ajustada. No me había sentido tan solo nunca.

4. ¿Por qué el escritor dice lo que piensa sobre lo que hacen los demás?

Esa noche tuve sueños inquietantes. . . . Escuché decir a alguien: "Creo que está allí adentro," . . . . Me

---

1. **Al atardecer:** En este punto, el mal clima había frustrado el segundo intento de Krakauer por llegar a la cima de Devil's Thumb, por lo que decide regresar al campamento.
2. **voluntad:** deseo consciente de actuar.
3. **reconocimiento:** exploración de un territorio desconocido en busca de información.
4. **Petersburg:** poblado de pescadores localizado en una isla a unas veinticinco millas del campamento. Más temprano, un piloto había dejado caer suministros a Krakauer—el contacto al que se refiere en la siguiente oración.

levanté de golpe y abrí los ojos. El sol estaba a punto de salir. Todo el cielo estaba escarlata. Todavía era claro, pero con una delgada línea de cirros que se extendía por la atmósfera superior; otra línea, oscura y tormentosa, era visible justo sobre el horizonte del sudoeste. Me puse las botas y me amarré aprisa los picos. Cinco minutos después de haber despertado ya estaba escalando hacia arriba, alejándome del campamento de esa noche.

No había cargado cuerda, tienda ni otro equipamiento más que mis hachas para el hielo. Mi estrategia era ir ligero y rápido, alcanzar la cima y regresar abajo antes que el clima cambiara. Forzándome, de continuo sin aliento, me escabullí arriba y a la izquierda, por pequeños claros de nieve entre las cañadas atascadas de hielo y rocas escalonadas. Era casi diverti-do—la piedra tenía pequeños huecos que servían para agarrarse, y el hielo delgado nunca era más empinado que los setenta grados. Pero ya estaba ansioso por el frente de la tormenta acercándose velozmente desde el Pacífico, ennegreciendo el cielo.

No tenía un reloj, pero en lo que pareció un tiempo muy breve, ya esta-ba yo en el último claro, un campo de hielo antes de la cima. Ahora el cielo estaba ensuciado con las nubes. Parecía lo más fácil seguir orillándome a la izquierda mientras avanzaba, pero más rápido avanzar de frente hasta la cima. Estaba ansioso de no verme atrapado por la tormenta a esta altura del peñasco y sin refugio, así que opté por la ruta más directa. El hielo se hacía más empinado y más delgado a cada paso. Hice un arco con el hacha izquierda, golpeando la piedra. Escogí otro punto en la roca, y una vez más rebotó de la diorita imperecedera con un sonido blando. Y otra vez, y otra vez. Era una repetición de mi primer intento sobre la pared norte. Mirando entre mis pies, encontré el glaciar a más de dos mil pies abajo. Mi estómago se estrujó.

Cuarenta y cinco pies más arriba la pared se hacía más horizontal, fundiéndose con el lomo de la montaña que eventualmente daba a la cima. Me aferraba duramente a las hachas enterradas en el hielo, perfectamente quieto, recorrido por el terror y la indecisión. De nuevo miré sobre lo que sería el terreno extenso de la caída, luego alcé los ojos, y me vi raspar la pátina[5] de hielo encima de mí. Enganché el pico del hacha izquierda en un labio de piedra delgado como una moneda y probé su resistencia. Parecía estable. Retiré el hacha derecha del hielo, estirando el brazo hacia arriba, y encajé el pico en el fondo de una fisura de apenas media pulgada hasta que se detuvo. Casi sin respirar, recogí mis pies hacia arriba, raspando con los picos de las botas sobre la escarcha[6]. Ahora alcanzando lo más lejos que podía, alcé el brazo izquierdo, haciendo girar el hacha hacia la superficie pulida, de color opaco, sin saber qué hallaría debajo de ésta. El pico se hundió con un ruido sólido. Unos minutos después estaba de pie sobre un resalte ancho. La cima propiamente dicha, una aleta de roca esbelta, se alzaba unos veinte pies por encima.

> **5.** ¿Qué problema supera el escritor para llegar a la cima?

---

5. pátina: capa muy delgada que cubre algo.

6. escarcha: capa muy delgada de hielo sobre las piedras.

Las inmateriales plumillas de niebla congelada[7] en ella aseguraban que esos últimos veinte pies no dejaran de ser bien difíciles, aterradores y amenazadores. Pero de pronto ya no había adónde más ir. Sentí mis labios partidos formar una sonrisa dolorosa. Ya estaba encima del Devil's Thumb.

Como era de esperarse, la cima era un lugar surrealista y malévolo[8], una delgada cuña de piedra y hielo improbable que no tenía mayor anchura que la de un archivero de oficina. No alentaba a permanecer detenido en ella. Mientras abrazaba con las piernas el punto más alto, la cara del sur caía bajo mi bota derecha unos dos mil quinientos pies; bajo mi bota izquierda la cara del norte caía el doble. Tomé unas fotografías como prueba de que había estado allí. Luego pasé unos minutos tratando de enderezar un pico que había quedado chueco. Luego me levanté, me di la vuelta cuidadosamente y tomé rumbo hacia la casa. . . .

Menos de un mes después de haber estado sentado en la cima del Thumb, estaba de nuevo en Boulder, clavando los paneles de madera de Spruce Street Townhouses (las casas de la calle Spruce), los mismos condominios en cuya estructura trabajaba cuando partí para Alaska. Me dieron un aumento de sueldo, a cuatro dólares la hora, y al final del verano me cambié del remolque de la obra a un apartamento que alquilaba por poco dinero al oeste del centro comercial del centro de la ciudad.

Es fácil, cuando se es muy joven, creer que lo que uno desea no es menos de lo merecido, asumir que si uno quiere algo con suficiente pasión, es un derecho divino el que le sea dado. Cuando decidí ir a Alaska ese abril, era un joven sin experiencia que pensaba que la pasión valía por conocimiento suficiente y que actuaba por una lógica oscura y llena de defectos. Pensé que escalar Devil's Thumb compondría todo lo que no andaba bien en mi vida. Al final, por supuesto, casi nada cambió. Pero me dio la impresión de que las montañas son malas depositarias de los sueños. Y viví para contarlo.

> **6.** ¿Qué aprendió el escritor sobre sí mismo después de su ascenso?

From "The Stikine Ice Cap" (retitled "Reaching the Summit") from *Into the Wild* by Jon Krakauer. Copyright © 1996 by Jon Krakauer. Reproduced and translated by permission of **Villard Books, a division of Random House, Inc.** and electronic format by permission of **John A. Ware Literary Agency.**

---

7. plumillas congeladas: depósitos de niebla congelada.
8. malévolo: que tiene intención de causar daño a los demás.

ETAPAS DE LA VIDA

Hace casi veinte años me inscribí en un curso de actuación en la ciudad de Nueva York. El primer día de clases la profesora declaró atrevidamente que no le importaba si nos agradaba o no—sólo le importaban las obras que enseñaba.

1. ¿Dónde se lleva a cabo la historia sobre la clase de actuación de Stella Adler?

INSTRUCCIONES Escribe las respuestas a las preguntas en el espacio indicado.

Stella Adler era famosa por el sistema de actuación conforme a un "método" que había enseñado desde los años 40. El método mostraba a los alumnos cómo usar su imaginación y su memoria de experiencias personales para retratar la emoción deseada. "Tienen que venir al curso trayendo un pasado para su personaje", decía. "Tienen que traer lo que está adentro de ustedes al papel". Su conocimiento de obras de teatro y dramaturgos era muy profundo. Yo iba a descubrir que ella tenía poca paciencia con cualquiera que no pareciera compartir su dedicación al teatro.

NOTA Para ver las ilustraciónes que acompañan a la selección, favor de referirse a las páginas 3–5 en *Alternative Readings*.

Cuando entré en su curso se decía de Adler que tenía más de ochenta años. Sus feroces ojos delineados con negro y su halo de cabello plateado le daban una apariencia más bien intimidante que de ancianidad. A través de los años sus cursos habían dado estrellas como Marlon Brando y Robert DeNiro. Se podía palpar la tensión de los estudiantes esperando a ser juzgados por una maestra tan respetada.

2. ¿Qué detalles de este párrafo describen a la maestra y el sentimiento que había en el salón?

Durante una sesión que nunca olvidaré una hermosa mujer de cabellos rizados en un vestido de encaje blanco interpretaba una escena de *Deseo bajo los olmos (Desire Under the Elms)*, de Eugene O'Neill. Desafortunadamente, su apariencia era lo mejor que ofrecía. Apenas había comenzado cuando Adler ya criticaba su actuación. Al final, Adler pidió, a gritos, que esa estudiante abandonara el aula. Ninguno de nosotros había visto nunca una crítica tan brutal de un compañero de clase. Nos quedamos atontados, en silencio.

3. ¿Qué palabras de este párrafo sugieren los pensamientos y sentimientos de la escritora a la exposición de ira de la profesora?

Durante un descanso, me di cuenta que había una mujer aterrada mordiéndose las uñas en la parte posterior del aula. Ella estaba a punto de interpretar la misma escena. La estudiante me explicó que cuando el esposo de Adler había dirigido la misma obra hace más de cuarenta años, no había considerado a Adler, que quería el papel, para escoger una actriz más joven. Desde entonces, sus reacciones a la interpretación de esta obra habían sido, por lo menos, muy emocionales. En efecto, la actuación de la mujer obtuvo un estruendoso comentario de Stella Adler. Abandoné el curso ese mismo día

4. ¿Por qué recuerda la escritora este suceso de su pasado?

y nunca regresé. Decidí que los actores tienen suficientes oportunidades para encarar el rechazo sin que sus maestros tengan que añadir otra.

Veinte años más tarde estaba inscrita en una escuela de actuación en San Francisco. Un día una mujer llamada Felicia, de cabellos rizados, ya grises, sustituyó a nuestra profesora regular, que no pudo asistir. Felicia, vibrante y llena de confianza, me pareció extrañamente familiar. Durante la sesión de ese día mencionó que había estado en los cursos de Stella

5. ¿Qué palabras señalan la secuencia de los sucesos descritos en este párrafo?

Adler. Traté de imaginar su rostro, pero más joven, el de hace veinte años, para ver si era la misma mujer que yo pensaba. Después le dije a Felicia que yo también había estudiado con la famosa Stella Adler, aunque brevemente, pues abandoné el curso después de un incidente durante una escena de *Desire Under the Elms* que me había molestado mucho, y a una mujer de un vestido blanco de encaje.

Felicia me miró sorprendida. Luego se rió y me contó su historia. Ella era la misma mujer que Adler había criticado brutalmente hace años; huyó de la clase de Adler llorando y, a pesar de que juró no volver, la semana entrante estaba ahí,

6. Según Felicia, ¿qué sucedió después del día en que Adler le gritó?

así como la siguiente. Repitió la escena hasta que alcanzó las expectativas de Adler. Felicia supo que había triunfado cuando Adler le tomó la mano, diciendo al resto del grupo: "¡Esta sí es una actriz!"

7. ¿Qué crees que aprendió la escritora con esta experiencia?

Nuestra legendaria profesora la había tratado mal, pero Felicia tomó la decisión correcta al regresar para obtener más de la instrucción dolorosa pero preciada de Adler. Como resultado, aprendió el arte de la actuación de una maestra brillante y apasionada que tuvo un conocimiento incomparable del teatro. Yo me equivoqué al dejar que el mal carácter y la rudeza de Adler me quitaran el beneficio de su intuición y experiencia. Gracias a ese error perdí una oportunidad maravillosa que nunca vendrá de nuevo.

Escribir una narración autobiográfica

Algunos descubrimientos, como la detección de un sistema solar distante, son temas de encabezados en los periódicos de todo el mundo. Las narraciones autobiográficas también son descubrimientos, aunque se anuncian con menos énfasis. Aun así, estos descubrimientos son importantes para sus autores—y también para muchos lectores.

Sólo piensa en la última vez que escribiste en tu diario o una carta para un amigo. ¿Escribir acerca de tu vida—tu primer día de trabajo en las vacaciones de verano o aprender a conducir con la supervisión de tu hermano mayor—te ayudó a pensar en tu experiencia de otra manera? Ahora piensa en los sucesos significativos que has leído sobre la vida de otras personas en narraciones autobiográficas: ¿Comprendiste mejor las privaciones de la esclavitud al leer la autobiografía de Frederick Douglass? ¿Recuerdas la descripción del momento de la victoria para un atleta en los juegos olímpicos? En este taller, vas a narrar una experiencia personal con la finalidad de revelar su significado a los lectores.

¿QUÉ APRENDEREMOS?

En este taller escribirás una narración autobiográfica. También aprenderás a:

■ recordar y ordenar los detalles de una experiencia

■ reflexionar sobre el significado de la experiencia

■ usar el diálogo correctamente

■ revisar para incluir detalles vivos

■ corregir las oraciones mal unidas

Modelo de un escritor

Una sorpresa de las vacaciones de primavera

Cita que capta la atención y primer suceso

"¿Está usted ahí, señora Anderson?" pregunté después de llamar a la puerta abierta de su habitación en Summerdale Retirement Center (la casa de retiro Summerdale). El personal del centro había decorado los pasillos con adornos

Descripción

relacionados con el cuatro de julio. En la puerta de la señora Anderson había un enorme sombrero de paja blanco, adornado con brillantes hileras de estrellas de color rojo y azul, y unos listones de color rojo, blanco y azul que colgaban de su corona y llegaban hasta el picaporte de la puerta. Dejé que los listones corrieran entre mis dedos al sujetar el picaporte, al tiempo que pensaba en lo mucho que había aprendido de la persona que estaba en el interior de la habitación.

Clave de significado

La había echado de menos desde la semana que pasé con ella en la primavera.

Diálogo

"¡Qué sorpresa, Amy!" dijo con una sonrisa cuando me vio. "¿Has venido a verme de nuevo?" Me pareció oler tu perfume antes de que llegaras. Y estaba segura que oí los gritos de ese loro chillón ".

Aunque estábamos a mitad del verano, la señora Anderson aún se acordaba de mí. Una semana en la casa de retiro no habría sido mi primera opción para pasar las vacaciones de primavera. Hubiera preferido ir a la playa con mis amigos de la secundaria Long, broncearme y conocer a

Información de fondo

otras personas de mi edad. Para mi mala fortuna, el otoño pasado había recibido una multa de tránsito por no ceder el paso. Al presentarme en la corte, me asignaron como sanción doce horas de servicio a la comunidad en un máximo de cuatro meses, en lugar de una fuerte sanción económica. Desde luego, la escuela me mantenía tan ocupada que el único momento disponible para cumplir con el castigo fueron mis vacaciones de primavera. No estaba nada contenta con lo que creí que me esperaría durante esa semana.

Diálogo y primer suceso de regreso en el tiempo

El día que llegué a la casa de retiro, la secretaria me dijo: "primero firma tu registro de voluntario. Luego, saca a

(continúa)

(continúa)

Pierre de su jaula".

"¿Pierre?" pregunté. "¿Qué es un Pierre?"

Pierre, después lo supe, era un loro que vivía en una jaula en la oficina principal. Tenía un hermoso plumaje de color azul con verde en su lomo, patas de color dorado y plumas amarillas con franjas anaranjadas en el pecho, además de un ojo negro con una extraña mirada. También hablaba. Pierre picoteó mi oreja, puso semillas de girasol en mi bolsillo, encajó sus garras en mi hombro y era un pesado acabado. Los residentes lo adoraban. Mi trabajo como voluntaria, según instrucciones de la secretaria, era pasear a este ruidoso y poco agradable pájaro sobre mi hombro por los pasillos del edificio, deteniéndome para charlar con los residentes que estaban a la entrada de sus habitaciones o en las áreas de recreo. De inmediato pensé: "Ésta va a ser una semana muy larga".

Sin embargo, aquel primer día también conocí a la señora Amelia Anderson. Tenía el cabello rizado, la piel suave y los ojos rodeados de arrugas por la edad. Aunque permanecía en silla de ruedas la mayor parte del tiempo debido a un padecimiento crónico de espalda, tenía la personalidad más agradable y la sonrisa más dulce de todos los residentes. Me recordaba a mi abuela, quien había muerto el año anterior. Cuando le dije por qué estaba ahí, chasqueó la lengua en señal de simpatía. "Sé exactamente cómo te sientes", me dijo.

Parece que la señora Anderson había tenido una experiencia similar a la mía. Ella también había tenido un accidente de tránsito al llegar a una intersección con visibilidad casi nula durante una fuerte tormenta, en el intenso tráfico de las 5 de la tarde. Un oficial de policía le entregó una multa, pero no hizo lo mismo con los demás conductores involucrados en el accidente, lo cual hubiera sido justo. Empezamos a reír al conocer las semejanzas de nuestras experiencias, en especial cuando me dijo que, como persona mayor, no había tenido más remedio que pagar la multa, que debería sentirme afortunada porque lo único que tenía

Descripción

Pensamientos y sentimientos

Segundo suceso de la narración retrospectiva

Descripción

Detalles de la narración

Tercer suceso de la narración retrospectiva

(continúa)

(continúa)

que hacer era acicalar el plumaje de Pierre. A partir de ese momento, nos hicimos amigas. De hecho, ni siquiera necesitábamos a Pierre para iniciar nuestras conversaciones. Cada día compartimos historias sobre nuestras familias. A ella le interesaba saber de mis amigos y actividades escolares. A mi me llamó la atención el tiempo que pasó como maestra de secundaria.

Al terminar la semana, regresé a mi vida de estudiante y conocí las historias de mis amigos de pescar en la playa, quemaduras de sol, ropa llena de arena y cenas de mariscos. Les emocionaba haber conocido a muchas personas quienes les habían prometido escribirles o llamarlos pronto. Entonces pensé en la señora Anderson, sentada en su silla de ruedas, en espera de alguien que paseara a Pierre y charlara con ella o de que la muchacha que había recíbi la multa regresara para contarle lo que había aprendido: que las vacaciones no siempre resultan como se planean. A veces las vacaciones de primavera pueden darte una grata sorpresa—una nueva amiga.

Pensamientos y sentimientos

Cuarto suceso de la narración retrospectiva

Leer una definición amplia

¿QUÉ APRENDEREMOS?

En esta sección leerás una definición amplia. También aprenderás a:

■ identificar las ideas y detalles principales

■ analizar la clasificación

En un mundo de correo electrónico, comercio electrónico y conferencias electrónicas, puede ser difícil darse cuenta de que, en el pasado reciente, muchas personas no estaban familiarizadas con el mundo en línea, la noción del trabajo en red de las computadoras o el concepto potencialmente alucinante conocido como *ciberespacio*. El artículo en la página siguiente: *Bienvenido al ciberespacio: ¿qué es? ¿dónde está? y ¿cómo se llega ahí? (Welcome to Cyberspace: What Is It? Where Is It? And How Do We Get There?)*, fue escrito para presentar diversos aspectos de este espacio imaginario a un público que desconoce este concepto. En él, el autor ofrece una definición extensa del ciberespacio para los lectores en los inicios de la era en línea.

DESTREZA DE LECTURA

Preparación para la lectura

Idea principal y detalles   La **idea principal** de un ensayo es el punto más general e importante del autor. En los ensayos bien escritos, este punto central se apoya en una variedad de **detalles**—hechos, ejemplos, estadísticas, anécdotas, descripciones y demás. El siguiente artículo se basa en una definición amplia de la palabra *ciberespacio*. En un ensayo de definición amplia, la idea principal toma la forma de una declaración que define de manera clara (o resumida) el tema. Sin embargo, si la idea principal de un ensayo es implícita, los lectores deben agregar—y reflexionar sobre—detalles en el ensayo para descubrir el mensaje implícito del autor. Mientras lees el ensayo de Philip Elmer-DeWitt, comienza por el título y trata de asociarlo con la idea principal. Toma notas de los detalles de apoyo para ayudarte a perfeccionar tu comprensión de la idea principal.

ENFOQUE DE LA LECTURA

La clasificación como herramienta de definición

La manzana es una fruta, y *El Gran Gatsby (The Great Gatsby)* es una novela americana. Incluso estas simples definiciones son resultado de la **clasificación** de un tema o término como parte de una categoría o clase más amplia. Una vez definido que el término *manzana* pertenece a un grupo mayor, puedes entender cuál es la diferencia entre una manzana y un mango. Clasificar ayuda a los escritores y a los lectores a definir términos concretos como *granizo,* y palabras abstractas como *desconcierto.* Mientras lees el siguiente artículo, pon tu atención en la clasificación en la que el autor ubica la palabra *ciberespacio.*

¿Qué *es* exactamente el ciberespacio? Trata de averiguar lo
que el autor quiere decir al usar esta palabra. Mientras lees,
anota tus respuestas a las preguntas de lectura activa.

Tomado de Time

Bienvenido al ciberespacio: ¿qué es? ¿dónde está? y ¿cómo se llega allí?

Por Philip Elmer-DeWitt

Todo empezó, como suele pasar con los avances tecnológicos, con un escritor de ciencia ficción. William Gibson, un joven expatriado americano que reside en Canadá, caminaba sin rumbo cerca de un centro de videojuegos de la calle Granville de Vancouver a principios de los ochenta cuando algo sobre la manera en que los chicos usaban las máquinas llamó poderosamente su atención. "Pude ver la intensidad física de la posición de sus cuerpos al inclinarse", dice. "Fue como un ciclo de retroalimentación en el que los fotones de la pantalla llegaban a los ojos de estos chicos, las neuronas se movían por sus cuerpos y los electrones se movían por los videojuegos".

Esa imagen quedó grabada en la mente de Gibson. En esa época no sabía mucho de computadoras o videojuegos—escribió su innovadora novela *Neuromancer* en 1984, con una antigua máquina de escribir—pero conocía a personas que sabían bastante sobre el tema. Hasta donde Gibson comprendía, las personas que trabajaban con este tipo de máquinas llegaban a aceptar, casi como un objeto de fe, la realidad de un reino imaginario. "Desarrollan la creencia de que realmente existe ese espacio detrás de la pantalla", explica. "Un lugar que no se ve, pero que existe".

Gibson llamó a ese lugar "ciberespacio" y lo usó como escenario para algunas de sus primeras novelas e historias breves. En la ficción de Gibson, el ciberespacio es un paisaje generado por una computadora en el que los personajes se introducen al "enchufarse"—a veces al insertar electrodos en receptáculos implantados en el cerebro. Lo que ven al llegar ahí es una representación tridimensional de la información almacenada en "todas las computadoras del sistema humano"—grandes almacenes y rascacielos de datos. El autor describe esto en un pasaje clave de *Neuromancer,* al calificarlo como un lugar "de complejidad inimaginable" con "líneas de luz dispersas en el no espacio de la mente, agrupaciones y constelaciones de datos. Como las luces de una ciudad, que desaparecen. . . ."

> **1.** ¿Qué observaciones condujeron a Gibson a acuñar el término "ciberespacio" en sus historias de ficción?

En los años que han transcurrido desde entonces, otros nombres se han asignado a ese sombrío espacio en el que residen los datos de las computadoras: la Red, el Web, la Nube, la Matriz, el Metaverso, la Datasfera, la Frontera Electrónica, la supercarretera de la información. Sin embargo, el término acuñado por Gibson ha venido a ser el más duradero. Desde 1989, la comunidad en línea lo ha usado para describir no sólo una fantasía de ciencia ficción, sino también los cada vez más intrincados sistemas de computación—en especial los millones de computadoras conectadas con la Internet.

En la actualidad, es difícil que pase un día sin que algún artículo de periódico, discurso político o conferencia de prensa invoque el vocablo imaginario creado por Gibson. De pronto, parece como si todos tuvieran una dirección de e-mail, desde los magnates de Hollywood hasta la Santa Sede[1]. . . .

Los asombrosos reportajes de la prensa han otorgado al término ciberespacio las dimensiones de multipropósitos, una palabra rebuscada que puede dar una dimensión tecnológica hasta a la tarea más sencilla. Para los mismos reporteros, muchos de los cuales recién conocen los placeres que ofrece la conexión en línea, *ciber* se ha convertido en el prefijo de moda, lo cual ha dado pie a la creación de neologismos como *ciber*filia, *ciber*fobia, *ciber*wonk. . . .

> **2.** ¿Qué quieren decir las personas de la comunidad en línea cuando usan la palabra "ciberespacio"?

¿Qué es el ciberespacio? Según John Perry Barlow, compositor de rock-and-roll que se ha convertido en activista de la computación, esta palabra puede definirse de manera breve como "el lugar donde estás cuando hablas por teléfono". Esa definición es quizás la más básica. El sistema telefónico, después de todo, es en realidad una vasta red de comunicación global con una presencia audible (estática chisporroteante sobre un sonido apenas perceptible como fondo.) De acuerdo con la definición de Barlow, casi todos hemos estado en el ciberespacio. Este medio crea la sensación de que la persona con quien hablamos se encuentra "en la misma habitación". De hecho, casi nadie toma en cuenta la dimensión espacial de una conversación telefónica—a menos que se topen con fallas de conexión o interferencia en sus llamadas de larga distancia. Entonces la gente aumenta el volumen de su voz, como si esto pudiera impulsar la señal fuera de los límites del ciberespacio.

> **3.** ¿Por qué las conversaciones telefónicas son un buen ejemplo del uso del ciberespacio?

El ciberespacio, desde luego, es mucho mayor que una llamada telefónica. Agrupa a millones de computadoras conectadas por medio de modems—a través del sistema telefónico—a servicios comerciales en línea, millones de veloces enlaces con las redes locales, sistemas de e-mail para oficinas, y la Internet. También incluye los crecientes sistemas de telefonía inalámbrica: torres de microondas que transportan grandes cantidades de señales de teléfonos celulares y datos; satélites de comunicación que se hilan como abalorios en órbita geosincrónica[2]; satélites de bajo nivel de vuelo que pronto cruzarán los cielos del globo como abejas furiosas, conectando a los amigos que están demasiado alejados u ocupados para enlazarse por cable . . . Nuestros televisores serán parte del ciberespacio al transformarse en "teleemisoras" interactivas por pseudoredes de servicio completo, como suelen llamarse, y que las redes de televisión por cable han empezado a desarrollar con medios de transmisión como las fibras ópticas y los interruptores de alta velocidad.

> **4.** ¿Cuáles son los componentes o elementos del ciberespacio?

---

1. **Santa Sede:** Asiento de la autoridad de la Iglesia Católica Romana; El Vaticano.
2. **geosincrónica:** que gira a una velocidad constante con la velocidad de rotación de la Tierra.

Sin embargo, los cables y líneas no son en realidad parte del ciberespacio. Son medios de envío, pero no de recepción: son la supercarretera de la información, no las brillantes luces al final del camino. El ciberespacio, en el sentido de "estar en la misma habitación", es una experiencia, no un sistema de transmisión por cable. Se trata de las personas que usan la nueva tecnología para cumplir con su programación genética: comunicarse entre sí. Puede hallarse en forma de mensajes de amor por e-mail entre personas que ni siquiera se conocen. Surge de los interminables debates en las salas de charla y tableros de anuncios. Forma parte del lazo que une a las personas asiduas a las salas de charla y grupos de comentarios. Es como el plano de formas ideales de Platón[3], un espacio metafórico, una realidad virtual.

> **5.** ¿Estás de acuerdo en que el ciberespacio es una "experiencia de comunicación"? ¿Qué otras cosas incluirías en esta categoría?

Pero no por eso pierde realismo. Vivimos en la era de la información, como le gusta señalar a Nicholas Negroponte, director del laboratorio de medios de comunicación del M.I.T.[4] en la que la partícula fundamental no es el átomo, sino el bit—el dígito binario, la unidad de datos que se representa como 0 o 1. La información aún puede presentarse en revistas o periódicos (los átomos), pero su verdadero valor radica en el contenido (los bits). Pagamos los bienes y servicios en efectivo (átomos), pero el flujo de capital en el mundo se realiza—al ritmo de varios millones de dólares al día—mediante la transferencia electrónica de fondos (bits).

Los bits y los átomos son diferentes y obedecen a leyes diferentes. No tienen peso. Se reproducen con facilidad (y sin falla). Además, hay un surtido infinito. Pueden enviarse casi a la velocidad de la luz. Cuando de mover bits se trata, las barreras del tiempo y el espacio desaparecen. Para los proveedores de información—las editoriales, por ejemplo—el ciberespacio ofrece un medio en el que los costos de distribución se reducen a cero. Vendedores como compradores entran en contacto en el ciberespacio sin los beneficios (ni los costos) de las campañas publicitarias. No es de extrañarse que muchos comerciantes se han convencido que pronto se convertirá en un poderoso mecanismo de crecimiento económico.

En este punto, sin embargo, el ciberespacio está menos relacionado con el comercio que con la comunidad. La tecnología ha desencadenado una especie de fiebre por las comunicaciones personales, organizadas no de arriba hacia abajo o de uno a muchos, como suele hacerse en el modelo tradicional de los medios de comunicación, sino con el modelo muchos-a-muchos, el cual—tal vez—podría convertirse en un vehículo de cambios revolucionarios. En un mundo dividido en sí mismo—los ricos y los pobres, los productores y los consumidores, etcétera—el ciberespacio representa la posibilidad más cercana a un mismo nivel de juego.

> **6.** ¿Qué idea principal desarrolla el escritor en este párrafo y los dos siguientes?

Consideremos, por ejemplo, la Internet. Hasta que algo nuevo la reemplace, la Internet es el ciberespacio. Tal vez no llegue a todas las computadoras

---

3. **plano de formas ideales de Platón:** teoría en la que el filósofo Platón expone que el idealismo sólo existe como tal en la mente humana.

4. **M.I.T.:** Abreviatura con que se conoce al Instituto Tecnológico de Massachusetts.

del sistema humano, como Gibson lo imaginó, pero se acerca bastante. Como puede testificar cualquier persona que haya usado la Internet por un periodo considerable, en muchas formas llega a ser más extraña que la ficción. . . .

Aunque hayan gráficas, fotografías y hasta videos . . . el ciberespacio, en la forma en que existe en la Internet, en esencia aún es un medio textual. Las personas se comunican con palabras escritas y presentadas en una pantalla. Aun así, el ciberespacio asume un sorprendente arreglo de formas, desde las simples listas (una especie de lista de basura de e-mail en la que todos pueden contribuir), hasta los MUDS (Multi-User Dungeons) rococós[5] o calabozos multiusuarios, (elaborados lugares de reunión donde varios usuarios crean "habitaciones" una por una). Todos estos "espacios" tienen algo en común: Son equitativos para todos. Cualquier persona puede jugar (con tal de que cumpla con los requisitos de equipo y medios de acceso) y tener el mismo nivel de respeto (es decir, poco o nada). Sin las caretas de riqueza, poder, belleza y estrato social, en la Internet la gente es catalogada sólo por sus ideas y su habilidad para hacerse entender mediante el uso de una prosa tersa y vigorosa. En la Internet, como se dice en la famosa tira cómica de la revista *New Yorker*, nadie sabe si eres un perro. . . .

La Internet dista mucho de ser perfecta. Debido a que la mayor parte de su contenido no ha sido editado, con frecuencia incluye elementos de mal gusto, tontos, y poco interesantes o simplemente equivocados. Representa el grave peligro de la adicción y, a decir verdad, una enorme pérdida de tiempo. Incluso con los nuevos programas de "apuntar y hacer clic" como Netscape y Mosaic, es demasiado difícil navegar. Además, y en vista de que requiere una línea telefónica y un enlace de comunicaciones de alta velocidad, está fuera del alcance de millones de personas pobres o que viven en sitios demasiado alejados de los centros de comunicación.

Aun así, resulta sobresaliente considerar que la Internet inició como un operativo militar en la época postapocalíptica[6] de la guerra fría. "Cuando miro la Internet", dice Bruce Sterling, también escritor de ciencia ficción y gran defensor del ciberespacio, "veo en ella algo asombroso y encantador. Es como si un enorme cobertizo contra precipitación radioactiva se hubiera desplomado y de él saliera un gran desfile de carnaval. Me deleito tanto en esto que me es difícil permanecer debidamente escéptico".

No obstante, nada garantiza que el ciberespacio siempre tenga la misma apariencia. La Internet cambia de manera constante. A últimas fechas, los esfuerzos de desarrollo—y la atención de la prensa—han pasado de los simples grupos de usuarios Usenet[7] a las "páginas base", elementos más pasivos y orientados al consumidor en la World Wide Web—un sistema de enlaces que simplifica la tarea de navegar entre la miríada de ofertas que hay en Internet. La Net, se quejan algunos veteranos en el asunto, ha convertido el ciberespacio en

> **7.** ¿Cómo ha cambiado el ciberespacio con el desarrollo de la World Wide Web?

---

5. rococós: algo de estilo excesivamente rebuscado o amanerado.

6. postapocalíptica: refiere al tiempo después de un evento catastrófico.

7. Usenet: Enorme conjunto de grupos de comentarios que cubren una gran variedad de temas.

un centro comercial. Sin embargo, mientras represente excelentes ganancias para los negocios, dicha tendencia continuará. . . .

Una pregunta aun más capciosa tiene que ver con la supuesta capacidad de transmisión de la red. Todos desearíamos tener un conducto grande que entrara directamente a la casa; ése es el conducto que transportará los bienes y servicios de información. Pero, ¿cuál es la anchura de banda[8] necesaria para que la señal del puerto [de casa] regrese a la red? En algunos diseños, el conducto de transmisión es bastante angosto—sólo permite la transmisión de los bits necesarios para cambiar de canal o comprar un anillo de circonio. Algunos activistas de la red argumentan que en el futuro los usuarios necesitarán la misma anchura de banda para enviar información desde su casa como para recibirla. Sólo entonces podrá la gente común y corriente pasar de simples consumidores a productores, libres para conectar sus cámaras de video a la computadora y transmitir sus obras al mundo.

> **8.** ¿Por qué algunos activistas creen que debería haber una mayor anchura de banda para enviar información desde los hogares? ¿Estás de acuerdo? ¿Por qué sí o por qué no?

La forma en que estos asuntos se decidan podrá cambiar la forma del ciberespacio. ¿Será de abajo para arriba como la Internet o de arriba para abajo como la televisión? En el mejor de los casos, dice Mitch Kapor, cofundador (con John Perry Barlow) de Electronic Frontier Foundation (la Fundación Frontera Electrónica), podríamos inventar de manera colectiva un nuevo medio de entretenimiento, uno que canalice la creatividad de una nación de escritores o camarógrafos de media noche.

> **9.** ¿Qué le preocupa a la gente sobre el futuro del ciberespacio? ¿Compartes estas inquietudes? Explica tu respuesta.

"En el peor de los casos", dice Kapor, "crearíamos redes de transmisión que generen una creciente adicción a una nueva generación de narcóticos electrónicos".

Aunque Kapor parezca ilustrar ambos casos en términos apocalípticos, no es el único que lo hace. Hay algo acerca del ciberespacio que impulsa la imaginación de la gente. De esto ya se ha escrito mucho—en la prensa y en los medios electrónicos—aunque la información va de un extremo a otro, de la emoción al romanticismo y del miedo al aborrecimiento. Quizá se deba a que el impacto del ciberespacio se ha presentado de manera exagerada. Desde luego, esto no significa que el verdadero cambio no se encuentre en proceso. Una regla básica, dicen los historiadores, es que los resultados de los avances tecnológicos siempre tardan más en dar fruto[9] de lo que dicen los expertos. Cuando el cambio se presente, es probable que sea más profundo y se propague más de lo que todos suponen—incluso los escritores de ciencia ficción.

8. **anchura de banda:** rango de frecuencias de radio necesarias para transmitir una señal particular.
9. **fruto:** desarrollo completo; logro.

INTEGRIDAD

INSTRUCCIONES
Escribe las respuestas a las preguntas en el espacio indicado.

Imagina que encuentras una billetera entre la hierba junto a la carretera. Nadie te ve cuando la recoges. Adentro hay una licencia de conducir y más de cien dólares en efectivo. Si llamas al dueño y devuelves la billetera, ¿eres un héroe? Tal vez no, pero demuestras integridad. Una persona íntegra siempre hace lo "correcto" sin esperar recompensa o agradecimiento. Quizá este tipo de persona no se comporte como el típico héroe, pero la integridad puede dar a un individuo una extraordinaria capacidad de heroísmo.

La palabra *integridad* se deriva del latín *integritas*, que significa "completo" o "puro". *Integritas* se deriva a su vez de *integer*, un vocablo que significa "entero" u "honesto". Un rascacielos con una estructura integral se mantiene firme porque sus piezas internas forman una estructura unida de manera sólida. Una persona con integridad se "mantiene firme" de igual manera. Tanto en los edificios como en las personas, la integridad es una fuente de fortaleza. Las personas con integridad no se corrompen ni reciben las malas influencias de otras personas. Sus decisiones sobre lo bueno y lo malo no se basan en las decisiones de los demás, ni hacen lo que otros esperan. Estas personas se mantienen fieles a su sentido de lo que es el bien o el mal. Se guían mediante creencias firmes y no por miedo al riesgo o al rechazo.

> **1.** ¿Cómo explica el origen de la palabra *integridad* su significado actual?

La honestidad es una señal evidente de integridad. Con frecuencia, un cuento sobre Abraham Lincoln es usado como ejemplo de honestidad. Cierta vez, cuando Lincoln era un modesto empleado de almacén, caminó varias millas para devolver seis centavos y cuarto a un cliente a quien por error había cobrado de más. Otra famosa historia de honestidad habla sobre George Washington. Al parecer, de niño cortó varios árboles de cerezo para probar el filo de su hacha. Cuando le preguntaron quién había cortado los árboles, Washington confesó la verdad después de decir: "No puedo decir una mentira". Tanto Lincoln como Washington demostraron su integridad.

> **2.** De los ejemplos de este párrafo y el siguiente, ¿cómo se relaciona la honestidad con la integridad?

En contraste con Lincoln, Oskar Schindler, propietario de una fábrica, se benefició de sus relaciones con los nazis durante la Segunda Guerra Mundial. Sin embargo, hizo todo lo posible para salvar a más de mil judíos de morir en los campos de concentración. Schindler sobornó a los guardias nazis, entabló amistad con varios oficiales e incluso arriesgó su vida para proteger a los judíos que trabajaban en su fábrica. Aunque Schindler no se adaptó a los mismos estándares de integridad que Lincoln, realmente fue una persona íntegra.

La integridad desarrolla la confianza en sí mismo y la valentía. Las personas íntegras tienen confianza en sí mismas, y por lo general, los demás también confían en ellas. De hecho, un diccionario presenta la siguiente definición de confianza: "la confianza es la integridad asegurada de otra persona". Este sentimiento de confianza permite a las personas aceptar desafíos y tomar riesgos. ¿Se confían en sí mismos siempre las personas con integridad? Quizá la respuesta sea no. Una mujer estadounidense de origen africano llamada Rosa Parks inició en 1955 un boicot a los autobuses en Montgomery, Alabama, no con base en la confianza, sino en una firme determinación. Debido a que ella deseaba que las personas lucharan por sus derechos, Parks rehusó sentarse en la parte posterior de un autobús público, donde se sentaban las personas "de color". Su integridad y la creencia en la libertad la llevó a fomentar un cambio histórico—el final de la segregación racial en Estados Unidos.

> **3.** Según el escritor, ¿qué cualidades llevaron a Rosa Parks a iniciar el boicot a los autobuses en Montgomery?

Muchos filósofos consideran que la integridad representa un alto valor en el desarrollo del carácter del ser humano. Ellos señalan que los individuos con integridad mejoran la vida no sólo para sí mismos, sino también para los demás. El deseo de mejorar sus propias vidas no siempre es el centro de sus acciones. Las personas que son honestas y confían en sí mismas tienen el valor de tomar decisiones que no siempre se basan en sus propios intereses. Actuar con integridad puede ser una experiencia dolorosa y riesgosa que en ocasiones conduce a la soledad.

> **4.** ¿Qué razones de este párrafo muestran que la integridad es un punto elevado del desarrollo del carácter humano?

En el famoso filme del oeste, *High Noon* (Mediodía), realizada en 1952, el comisario Will Kane (interpretado por Gary Cooper) sabe que cuatro forajidos tratarán de matarlo cuando llegue el tren del mediodía. Los habitantes del pueblo, a quienes se había dedicado a proteger, lo han abandonado uno a uno. Su nueva esposa le ruega que se vaya, y amenaza con abandonarlo también. El comisario Kane trata de dejar el pueblo, pero no logra hacerlo. Como nadie desea acompañarlo en su lucha, se ve obligado a hacerlo solo, por integridad. Este personaje de Hollywood ilustra que la integridad puede llegar a ser bastante compleja, confusa y hasta convertirse en una amenaza para la vida.

> **5.** ¿Qué aspecto de la integridad muestra el personaje del comisario Kane?

La integridad puede hallarse incluso en lugares poco usuales. ¿Por qué una persona que posee un negocio próspero arriesgaría su propia vida para salvar a un grupo de judíos? ¿Cómo puede una mujer cambiar una ley federal con un simple rechazo al reglamento? ¿Por qué un comisario enfrentaría a la muerte al enfrentar a unos forajidos si nadie lo apoya? Al considerar las muchas definiciones de la integridad, apreciaremos más a los héroes a veces imperfectos y desacostumbrados que la demuestran. Estos héroes tienen en común su presencia en situaciones difíciles y la inquebrantable integridad que los obliga a no evadirlas.

> **6.** ¿Qué punto explica el escritor en el último párrafo?

Escribir una definición amplia

En este taller escribirás una definición amplia. También aprenderás a:

■ escoger y definir un término

■ ampliar una definición inicial

■ usar la analogía como estrategia de definición

■ eliminar los calificativos débiles

■ usar la puntuación correcta en oraciones con cláusulas esenciales y no esenciales

¿Qué es un *videojuego*? Sin duda tu respuesta sería bastante concisa. ¿Responderías con la misma brevedad si alguien te preguntara qué es la *felicidad*? ¿el *éxito*? Algunas palabras necesitan mayores definiciones que otras.

En situaciones cotidianas, las personas usan tres tipos diferentes de definiciones para comunicar el significado de las palabras. Cuando la gente está de acuerdo en lo que una palabra significa, el tema puede definirse con una **definición corta,** también conocida como definición de diccionario. *Videojuego* puede definirse de esta manera. Otras palabras tienen varios significados. En estos casos, las personas ofrecen **definiciones personales** que difieren de la comprensión general de la palabra. Algunas veces, por ejemplo, escuchas a alguien decir "Lo que quiero decir cuando uso la palabra *generosidad* es. . . ." Finalmente, algunas palabras solicitan **definiciones amplias,** explicaciones largas que pueden incluir definiciones cortas, definiciones personales y otras estrategias de definición: los ejemplos, la clasificación, las comparaciones y contrastes, etcétera.

Quizá en tu curso pasado viste definiciones amplias en las lecturas que se hicieron en tu clase.

■ ¿Qué significa *confianza en sí mismo*?

■ ¿Qué es la *desobediencia cívica*?

■ ¿Son las personas realmente *libres*?

Quizá recuerdes preguntas como éstas en los comentarios que se hicieron en tu clase o en tus ensayos. Las preguntas de definición son las favoritas de los maestros y de las personas

que diseñan los exámenes porque les piden a los estudiantes que usen términos abstractos y complejos. Algunas veces también nos ayudan a saber cómo se ha modificado la definición de una palabra con el tiempo. Piensa: las palabras *escuela* y *trabajo* probablemente significaron algo muy distinto para las personas del siglo diecisiete de lo que significan en la actualidad.

Modelo de un escritor

¿Qué es el valor?

INTRODUCCIÓN
Inicio que capta la atención

Ejemplos impactantes

Todos reconocemos el valor cuando lo vemos. Es ese "algo especial" que anima a los bomberos a correr al interior de un edificio en llamas para salvar a alguien. Es lo que impulsa a un soldado a continuar aunque sepa que la batalla está perdida o a una madre a correr en medio del tráfico para evitar que atropellen a su pequeño hijo. En todos estos ejemplos, las personas realizan acciones a pesar de los peligros físicos, ya que muestran una firme determinación y resolución. Aunque parezca difícil de creer, este comportamiento no se adapta a la definición común del valor. El American Heritage Dictionary

Definición del diccionario, incluyendo categoría

(el diccionario de American Heritage) define el valor como un "estado o cualidad de la mente" que difiere de otros porque "permite enfrentar el peligro con determinación, confianza y resolución". Creo que estos ejemplos en realidad demuestran

Tesis

que la confianza no es un elemento necesario en el valor. Más aún, considero que para entender el valor es necesario pensar en lo que el "peligro" significa para cada persona y cómo siente el valor esa persona.

CUERPO
Ejemplos

Podría ayudar examinar primero la confianza del soldado y el bombero. Ambos son totalmente entrenados para enfrentar riesgos físicos y desafíos psicológicos como parte de su labor. Reconocen los riesgos involucrados en su profesión y asumen que su entrenamiento los ayudará a enfrentar esos riesgos. En esta perspectiva, tienen confianza. Sin embargo, ambos pasan por momentos en que no se sienten tan confiados de lo que hacen. De hecho, en los dos oficios enfrentan situaciones que desafían su confianza. Aun así, su fortaleza interior—su valor—los sostiene a pesar de su falta de confianza.

La confianza no sólo significa saber cómo reaccionaremos, sino también cómo ocurrirá algo. El soldado que desembarca en una playa a sabiendas de que su ejército es superado en razón de cuatro a uno puede tener confianza en su entrenamiento, pero no en el resultado de la situación. Lucha por proteger a su escuadrón (y quizá para defender

SUGERENCIA

Aunque ésta es una pieza formal, puedes expresarte en primera persona para comentar tus propias experiencias.

(continúa)

(continúa)

una idea, como la "libertad"), aunque dude que él y sus colegas sobrevivan. Nadie se atrevería a decir que actúa con valor sólo porque no puede basarse en la confianza. Asimismo, cuando un bombero corre a un edificio que ha permanecido en llamas durante un largo tiempo, tiene la esperanza, pero no necesariamente la confianza, que las personas atrapadas en el interior logren salir sanas y salvas. Elige olvidar su falta de confianza y trata de rescatar a alguien a toda costa.

Ahora vamos a considerar el caso de la madre que se lanza en medio del tráfico para evitar que atropellen a su hijo. La madre no tiene tiempo de experimentar una emoción como la confianza. Como cualquier padre haría en esta situación, actúa de manera instintiva. Aun así, la mayoría de las personas llamarían a éste un acto de valor. Este caso en particular demuestra que la confianza no es una parte esencial del valor.

Ejemplo

Otra suposición falsa sobre el valor es que siempre implica una situación de peligro físico. Muchas veces es así, pero con frecuencia el valor se relaciona con los riesgos emocionales. Tomemos, por ejemplo, el caso de mi prima Lucía, quien se resistía a la presión de sus compañeros para hacer trampa en una prueba. Cuando finalmente les dijo que no haría trampa, es porque estaba segura de que no la llamarían cobarde a su cara. Aun así, tenía la sospecha de que sus compañeros no le dirigirían la palabra en la escuela al día siguiente y de que éstos convencerían a otros estudiantes de hacer lo mismo, lo cual la haría sentir muy mal. Aunque los amigos de Lucía no la rechazaron, necesitó una buena dosis de valor para tomar su decisión a pesar de saber lo mal que se sentiría si la hubieran rechazado.

Anécdota

Otro punto importante del valor—algo que puede ser diferente en cada persona—es cómo lo siente cada quien. Tuve la experiencia más intensa del año pasado cuando hice una audición para participar en una obra musical escolar. Nunca había cantado frente a un público numeroso. Mientras esperaba tras bambalinas, estaba seguro que olvidaría la letra de la canción o tendría dificultades para alcanzar las notas altas. No podía dejar de pensar cómo se reirían

Anécdota

(continúa)

(continúa)

mis compañeros a la hora del almuerzo, al día siguiente. Mi boca estaba seca y mis cuerdas vocales tiesas. Cuando me llamaron al escenario, una fuerza interior me impulsó a llegar hasta el centro del escenario. Debió haber sido un acto de valor. Recuerdo que centré mi atención en la frase "ahora o nunca" y abrí mi boca para empezar a cantar. Me sentí fuerte y con la mente despejada, y de pronto ninguno de mis miedos parecía importante. Tal vez otras personas tengan una sensación diferente del valor, pero eso es lo que yo sentí.

CONCLUSIÓN

Resumen de la definición

Declaración de la importancia de la definición

En conclusión, creo que debemos dejar de pensar en el valor como un estado mental que requiere confianza. No todas las personas que realizan un acto heroico pueden decir con sinceridad "confío en que todo salga bien". En ocasiones, las personas que realizan un acto de heroísmo actúan por instinto, sin pensar en ningún momento. Otras, hacen a un lado su falta de confianza y sus temores para hacer lo que <u>necesitan</u> hacer. Asimismo, debemos considerar que actuar con valor no siempre implica un riesgo para la vida. Al comprender mejor las características del valor, podemos apreciar que todos tenemos la capacidad de actuar con valor (al menos un poquito) cada día de nuestras vidas.

Leer un informe de progreso

Los informes de progreso tienen que tener dos puntos en consideración: el objetivo final y los pasos necesarios para llegar a éste—es decir, el entero y sus partes. De acuerdo con un proverbio chino, un viaje de mil millas empieza con un paso. En el artículo de Internet de la página siguiente se muestra un informe sobre el progreso de entrenamiento de perros a cargo de las reclusas de una prisión. Trata de definir la meta final y los "pasos" a lo largo del camino.

Preparación para la lectura

Resumir   Cuando leas el artículo de la página siguiente, quizá te preguntes: ¿Cuál es el tema principal? o ¿Cómo representan los elementos el conjunto? **Resumir** o reducir algo a las partes que lo forman puede ayudarte a contestar estas preguntas; si desglosas el material y lo presentas en tus propias palabras, tendrás la oportunidad de comprenderlo mejor y recordar lo que leíste. Para hacer un resumen preciso, los lectores deben fijarse en las palabras y frases clave que señalan las ideas principales. (En los informes de progreso como éste, con frecuencia se incluyen palabras claves como éstas: *mejorar, aumentar, disminuir, progresar* y otras palabras similares que indican alguna tendencia particular.)

Medida del progreso   En los informes de progreso, los lectores esperan encontrar evidencia *concreta,* no declaraciones vagas como "todo está saliendo bien". Para explicar cómo todo va progresando en un proyecto, es necesario incluir *medidas del progreso* —valores específicos de progreso hacia un objetivo determinado y lo que falta por hacer. Con frecuencia, estos valores se representan con cantidades, ya sean números exactos de pasos o algún tipo de estadísticas, como los porcentajes. Si, por ejemplo, un artículo informa el progreso de una campaña de recaudación de fondos, puedes esperar leer frases como: se ha recaudado el *25 por ciento* del total esperado. Si el consejero de tu escuela publica una lista de los pasos a seguir para obtener la graduación, quizá te des cuenta que has completado cinco de los diez pasos de la lista. Trata de identificar las medidas de progreso en el siguiente artículo.

¿QUÉ APRENDEREMOS?

En esta sección leerás un informe de progreso. También aprenderás a:

- resumir ideas
- analizar cómo se mide el progreso

DESTREZA DE LECTURA

ENFOQUE DE LA LECTURA

Selección

La siguiente información es tomada del sitio Web mantenido por el programa Sociedad para perros domesticados en las prisiones del Centro Correccional de Washington para mujeres. Para más información sobre la Sociedad, puedes visitar el sitio http://www.prisonpetpartnership.org (disponible sólo en inglés). A medida que lees, anota tus respuestas a las preguntas de lectura activa.

Programa Emparejamiento Para Perros Mascotas En Las Prisiones

HISTORIA

El programa Emparejamiento para perros mascotas en las prisiones, que opera dentro del sistema de justicia penal del estado de Washington, ha sido un modelo para la nación en la rehabilitación de mujeres delincuentes. Comenzó en 1981 como resultado de un esfuerzo conjunto entre la hermana Pauline, una monja dominica, y el fallecido Dr. Leo Bustad, expresidente del programa de veterinaria de la Universidad del estado de Washington, quienes creían que la rehabilitación de las reclusas podría facilitarse mediante el vínculo entre humanos y animales. La hermana Pauline y Bustad trabajaron de manera cooperativa con la Universidad del estado de Washington, el Instituto de enseñanza superior de la comunidad, Tacoma Community College y el Departamento Correccional del estado de Washington para crear este programa innovador dentro del Centro Correccional de Washington para mujeres (WCCW, por sus siglas en inglés).

> **1.** ¿Cuál es la idea principal que presenta el primer párrafo?

El programa Emparejamiento para perros mascotas en las prisiones actualmente ayuda a las reclusas del WCCW a aprender cómo entrenar, asear y atender perros dentro de la prisión. En 1991 el programa se incorporó como una agencia 501 (c)(3) aparte. Los animales del programa son ubicados dentro de la región, en Washington, Oregón y Idaho. Desde su inicio, el programa ha ubicado a más de setecientos perros como perros de servicio, de alerta o de terapia[1] para niños y adultos con discapacidades, y en familias como mascotas.

En 1986, el programa Emparejamiento para perros mascotas en las prisiones fue uno de los 10 primeros finalistas para Innovaciones en el Gobierno Local y Estatal, un programa de premios patrocinado por la Fundación Ford y la Escuela de Gobierno John F. Kennedy de la Universidad de Harvard.

> **2.** ¿Por qué el escritor menciona la información sobre los antecedentes en los párrafos 3 y 4?

En 1997, el general H. Norman Schwarzkopf visitó el WCCW para presentar el programa *What's Right in America* (Lo que está bien en América)

---

1. perros de servicio, de alerta o de terapia: perros que ayudan a las personas con discapacidades mediante la habilidad de recuperar objetos, abrir puertas, entre otras actividades; perros que alertan si un dueño está por tener un ataque; perros que interactúan de manera formal o informal con personas que están enfermas, lesionadas o aisladas.

para la NBC. Schwarzkopf sintió que el programa Emparejamiento para perros mascotas en las prisiones era un ejemplo de cómo el sistema carcelario puede ayudar a la rehabilitación de las reclusas al tiempo que sirve a la comunidad en general.

ACERCA DE NOSOTROS

El programa Emparejamiento para perros mascotas en las prisiones da a las reclusas entrenadoras la oportunidad de aprender valiosas destrezas vocacionales relacionadas con la industria de los animales domésticos, para que las utilicen al buscar empleo cuando reanuden sus vidas fuera de la cárcel. Ellas pueden aspirar al certificado de Técnico en el cuidado de mascotas, niveles uno y dos, a través de la *American Boarding Kennels Association*, o la Asociación Americana de Albergues Caninos. Todas las reclusas que han obtenido el título de nuestro programa han encontrado empleo al salir en libertad. Aún más, en los últimos cinco años, el índice de reincidencia[2] entre las graduadas ha permanecido en cero.

> **3.** ¿Cuál es el hecho en este párrafo que sugiere mejor el éxito en el progreso de rehabilitación de las reclusas?

Además de entrenar, cuidar y asear perros, las reclusas también adquieren destrezas administrativas trabajando en nuestra oficina. Para asegurar que ellas reciban una amplia experiencia en la industria del cuidado de animales domésticos, se exige a las empleadas reclusas pasar un mínimo de dos años con nosotros. Los perros también pasan mucho tiempo con sus entrenadoras reclusas dentro de la comunidad carcelaria, lo que permite que otras reclusas se beneficien de las presencia de los perros aún sin estar directamente involucradas en el programa.

Trabajamos de manera proactiva para responder a las necesidades de individuos que sufren ataques, de quienes viven con enfermedades diversas como la esclerosis múltiple, y de quienes viven con múltiples discapacidades, proporcionándoles perros bien entrenados para que los asistan en sus actividades diarias y les den mayor independencia. Según Assistance Dog International, la Asociación Internacional de Perros de Asistencia, el costo de proporcionar un entrenamiento de alta calidad para perros de servicio, alerta y terapia es de aproximadamente $10,000 por animal. Entrenar a estos perros requiere aproximadamente ocho meses, y sólo uno de cada quince a veinte perros seleccionados para nuestro programa posee la inteligencia y el temperamento necesarios para convertirse en un perro de servicio o de terapia.

> **4.** ¿Qué indica esta información acerca del valor del programa?

Todos los animales del programa provienen de organizaciones de rescate de animales, lo que les permite llevar una vida de servicio en lugar de ser sacrificados. Los perros del programa que carecen del temperamento necesario para ser entrenados como animales de servicio o de terapia son

---

2. **reincidencia:** volver a una condición pasada; aquí, regresar a prisión.

entrenados en destrezas básicas de obediencia que les permiten ser ubicados en la comunidad como "Perros en libertad condicional".

Aunque parte del apoyo del financiamiento de la agencia proviene de un contrato con el Departamento de Correcciones, el programa cuenta principalmente con el apoyo de fundaciones, organizaciones protectoras de animales y donantes particulares. El programa también se mantiene con el apoyo financiero de un servicio de cuidado y aseo para la comunidad local.

Una activa Junta de Directores voluntarios diseña las políticas y monitorea nuestro progreso programático, en conjunto con el personal del programa. Actualmente, unos veinte voluntarios nos ayudan a sacar los perros a la comunidad para un importante entrenamiento de socialización previo a la ubicación con sus destinatarios. Este entrenamiento incluye tareas como aprender a acompañar a sus destinatarios a ascensores, restaurantes, consultorios médicos, tiendas de comestibles y otras instalaciones.

Los objetivos del programa son

> **5.** ¿Por qué crees que el programa se centra en estos objetivos particulares?

1. Ubicar anualmente sesenta perros con destinatarios, de los cuales al menos un 25 por ciento sean animales de servicio, de alerta o de terapia.

2. Establecer un fondo de beca escolar para ayudar a las reclusas que son liberadas de la prisión a continuar su educación relacionada con la industria de los animales domésticos.

3. Continuar la construcción del Fondo de Asistencia Veterinaria (iniciado por la Fundación Bosack Kruger en 1995) para asegurar el cuidado veterinario de calidad para nuestros perros antes de ubicarlos en la comunidad y para ayudar a un número de destinatarios de nuestros perros con bajos ingresos cuando no puedan pagar sus cuentas veterinarias.

Los estudios sobre el vínculo entre humanos y animales llegan a la conclusión, nada sorprendente, que los humanos necesitan el amor incondicional y la aceptación que sólo los animales pueden brindar. Los animales, a cambio, necesitan ser amados. El vínculo que comparten nuestros perros, sus entrenadoras y, sobre todo, sus dueños eventuales proporciona un sentimiento de satisfacción que contribuye directamente al bienestar mental y físico de todos aquellos que están involucrados.

> **6.** ¿En tu opinión, ¿cuál de los tres grupos que se mencionan aquí ha recibido el mayor beneficio del programa?

Esta es la esencia de lo que el programa Emparejamiento para perros mascotas en las prisiones ha brindado en todos estos años a las reclusas que trabajan con los perros, a los perros que tienen la oportunidad de llevar vidas de servicio y a los niños, mujeres y hombres con discapacidades que reciben a los perros bien entrenados que enriquecen la calidad de sus vidas.

HECHO A LA MEDIDA: MI BATALLA CON LOS CATÁLOGOS

INSTRUCCIONES
Escribe las respuestas a las preguntas en el espacio indicado.

A comienzos de octubre, la primera señal del otoño apareció. No, no fue la ardiente hoja de un arce o una calabaza juguetona que me miraba de reojo. Empezó con un fuerte golpe en el piso. Cuando abrí la puerta, allí estaba: era una gran torre de catálogos de pedido por correo. Las compañías de compra por correo habían hecho su asalto prenavideño a todos los buzones de los Estados Unidos. Este año, decidí contraatacar.

1. ¿Cuál es el primer indicio del problema?

No me malinterpreten. Me gustan los catálogos. Las compras navideñas serían una pesadilla sin ellos. Es muy difícil arrojarlos de inmediato al depósito de reciclaje. Tengo que mirarlos a todos y a cada uno. Si ocurre que adentro está el regalo perfecto para mi esposo, la hija mayor de mi hermana o la maestra de mi hijo, señalo la página con una banderita y separo el catálogo. El problema es que luego ese catálogo en particular nunca vuelve a aparecer entre los montones de catálogos apilados por toda la casa.

2. ¿Qué problema tiene la escritora con los catálogos?

Este año, decidí que iba a ser muy organizada. Iba a desarrollar un sistema para controlar la inundación de catálogos de octubre a diciembre. Pasaría sólo un minuto echando una hojeada a cada nuevo folleto. Después o lo tiraría al depósito de reciclaje o lo apilaría en una caja para un "segundo vistazo". El primero de diciembre, pediría un regalo de ese catálogo o lo desecharía.

3. ¿Cuál es el objetivo de la escritora y qué sistema desarrolla para alcanzarlo?

Arrastré una vieja caja de cartón desde el sótano. Después de escribir en ella "segundo vistazo", la dejé en un rincón de la sala. Estaba lista. Era sábado. Cuando llegó el correo, de inmediato lo ordené. Cuatro catálogos habían llegado, todos muy tentadores. Miré cada uno, tiré dos en el depósito de reciclaje y revisé con cuidado los otros dos. Después de marcar las páginas con banderitas, los puse en la caja "segundo vistazo". ¡Bravo! ¡Fue facilísimo! Gracias al nuevo sistema, definitivamente tenía el control de la situación.

4. ¿Qué evidencia presenta la escritora para evaluar su progreso?

El lunes no llegué a casa sino hasta las siete de la noche. Cinco catálogos nuevos me estaban esperando. No pude mirarlos en ese momento porque tenía que pagar algunas cuentas y después recoger a mi hijo de su entrenamiento de fútbol. "Los veré en la cama por la noche", me prometí a mí misma. Sorprendentemente, lo hice. Después de eso, tenía demasiado sueño para bajar las escaleras a la caja clasificadora. Dejé los catálogos en la mesita de noche en dos montones bien definidos, apagué la luz y me dormí.

5. Describe brevemente el progreso o retroceso que presenta la escritora en este párrafo y el siguiente.

El martes, cuando el correo llegó, saqué los tres catálogos nuevos y empecé a hojearlos. De repente, recordé que los del día anterior todavía estaban en mi recámara, y corrí por las escaleras para ocuparme de ellos primero. Pero no estaban ahí. Como era muy pronto para admitir que estaba derrotada en la batalla, decidí localizarlos. Uno de los de "segundo vistazo" estaba en el piso del baño cerca de la ducha. Estaba empapado, así que lo saqué para secarlo sobre la mesa del patio. Alguien había puesto los otros tres catálogos en el depósito de reciclaje. Rescaté uno que decía "segundo vistazo" y lo puse en la caja. Y también pensé en decirle a mi esposo acerca de mi nuevo sistema infalible.

El viernes abandoné toda esperanza. Esa noche tres de mis catálogos rechazados aparecieron en la mesa de la sala. Alguien los había pescado del depósito de reciclaje. En el pórtico trasero había un catálogo de "segundo vistazo" que el perro había hecho pedacitos con banderitas y todo. En la mesa del patio encontré el catálogo que había puesto a secar el martes. Después de dos días de lluvia continua, estaba arruinado. Mientras tanto, seis nuevos catálogos que habían llegado ese día me esperaban con un aire acusador en la mesa del comedor. Todavía no los había visto.

6. Qué le sucedió el viernes a la escritora para que se diera por vencida?

"Está bien, ¡me rindo!" grité. En un ataque de furia tiré todos los catálogos detrás del sofá.

Así es cómo hallé mi nuevo sistema. Cuando llegaran, simplemente tiraría los catálogos detrás del sofá. Después de que el sofá se hubiera separado de la pared poco a poco, pasaría un fin de semana revisándolos todos de una buena vez. El lunes, enviaría por correo mis pedidos o telefonearía. Al día siguiente, simplemente los tiraría en el depósito de reciclaje.

Estoy más contenta ahora que he decidido que no puedo ganar la batalla de los catálogos. Si no recibes un regalo mío este año, o el próximo, por favor, trata de entender. El sofá apenas ahora ha comenzado a separarse un poco de la pared. En algún momento del próximo año, llegará a la mitad de la sala. Entonces recibirás tu regalo por correo.

7. ¿Qué sugiere la oración final de la escritora acerca de su nuevo sistema?

Escribir un informe de progreso

¿QUÉ APRENDEREMOS?

En este taller escribirás un informe de progreso. También aprenderás a:

- recordar y registrar el progreso
- analizar los logros
- diseñar gráficas para ilustrar el progreso
- variar la longitud de las oraciones
- usar la secuencia correcta de las oraciones verbales

Imagina que trabajas en un enorme proyecto que es muy importante para ti, un proyecto que requiere de muchos pasos específicos —aprender a tocar la guitarra tan bien como para unirte a una banda, construir una casa para perro o plantar árboles durante todo un semestre en un proyecto de biología. ¿Cómo puedes mostrar a alguien el progreso que has hecho en este proyecto? ¿Cómo puedes saber cuánto has logrado y cuánto falta por hacer?

Cuando quieres demostrar a alguien —incluso a ti mismo— que has progresado en un proyecto, puedes escribir un *informe de progreso*. Un **informe de progreso** muestra los avances hechos en un periodo específico para alcanzar un objetivo. "El trabajo realizado" puede referirse tanto a las tareas que has logrado en un proyecto como a tus resultados o hallazgos alcanzados hasta entonces. En el lugar de trabajo, los informes de progreso se escriben para personas que necesitan estar informadas acerca del proyecto para que puedan decidir si éste debe continuar, ser modificado o incluso suspendido. Ya que los informes de progreso se escriben en intervalos determinados —cada semana, una vez al mes, o periódicamente durante un año— también sirven como un informe final del proyecto.

Modelo de un escritor

Informe de progreso de un proyecto final de ciencias sociales: Presentación de "El sendero de lágrimas de los cheroquí"

INTRODUCCIÓN
Introducción del proyecto

Periodo de tiempo

Objetivo

Información del fondo

En las seis semanas pasadas, he estado trabajando en un proyecto para mi clase de ciencias sociales acerca de "El sendero de lágrimas de los cheroquí". Presentaré este proyecto en lugar de una prueba final y debo completarlo en seis semanas, antes del 3 de mayo. Mi proyecto está diseñado para presentar un hecho histórico de manera interesante, que anime a mis compañeros a reflexionar y a debatir; espero que el bibliotecario de mi escuela exhiba mi trabajo en su biblioteca.

El sendero de lágrimas fue el traslado forzoso de los cheroquí de Georgia a Oklahoma en 1838. Aunque la Corte Suprema de los Estados Unidos había legislado en contra de los esfuerzos del gobierno por expulsar a los cheroquí de sus tierras que los tratados anteriores les habían garantizado, el presidente Andrew Jackson ordenó que los cheroquí fueran expulsados de sus casas. Cerca de catorce mil cheroquí tuvieron que marcharse de Georgia en el invierno. Durante la migración de los cheroquí se les negó comida, ropa y abrigo adecuados, y cerca de cuatro mil murieron antes de llegar a su nuevo hogar. A eso se debe el nombre de "sendero de lágrimas".

CUERPO
Primer logro significativo

Evidencia
Segundo logro significativo

Evidencia

Tercer logro significativo

Durante seis semanas investigué las rutas específicas que los cheroquí tomaron y me di cuenta que siguieron cuatro caminos diferentes. Para explicar con una imagen las rutas, también dibujé un mapa detallado a colores del área geográfica en un pedazo de cartulina. El mapa muestra las cuatro rutas, una de ellas por agua, de Georgia a Oklahoma.

Asimismo, solicité información a la oficina principal de la nación cheroquí en Oklahoma y recibí un folleto, una bibliografía y reproducciones de varias pinturas acerca del sendero de lágrimas y de los líderes cheroquí. He escogido tres de esas representaciones para presentarlas en mi proyecto.

Quiero que mis compañeros sepan qué se les quitó a los cheroquí. Investigué que en Georgia muchos cheroquí

(continúa)

vivían en casas, incluso algunos tenían sus propias fincas, así que hice un diorama para mostrar cómo se veía una casa cheroquí en esa época. Lo colocaré junto a un modelo de las empalizadas donde los cheroquí fueron mantenidos después de llegar a Oklahoma. El diorama de las dos estructuras será la parte central de mi presentación.

Evidencia

Mi único problema ha sido encontrar información específica de las personas que fueron desplazadas. Quiero mostrar en mi trabajo que las personas que sufrieron eran individuos y no sólo números. Con la ayuda del bibliotecario, localicé algunos libros en la universidad con nombres y dibujos de las personas que participaron en la marcha. Saqué de la biblioteca varios de ellos y pienso exhibirlos en mi presentación. También encontramos que hay grabaciones de historias heredadas a través de generaciones de familias cheroquí que sobrevivieron a la marcha. Estas grabaciones están en los archivos de la universidad, así que es necesario pedirlos en préstamo de intercambio de las bibliotecas; este procedimiento suele tomar dos semanas, así que recibiré las grabaciones, a más tardar, la próxima semana. Entonces, las escucharé y determinaré si puedo incluir algunas partes en mi presentación.

Problema

Solución

Aunque no sé exactamente cómo se verá mi presentación final, ya tengo los principales componentes. El mapa y las pinturas estarán en el fondo, y los dioramas y los nombres y dibujos de los cheroquí que estuvieron en la marcha estarán al frente. Aquí está un diagrama de la disposición. *(Para ver este diagrama, favor de referirse a la página 658 en la Edición del estudiante.)*

CONCLUSIÓN

Panorama general del proyecto

Me gustaría agregar otros objetos cheroquí como un ejemplo de una prenda de ropa tradicional o quizá una pintura de una rosa cheroquí, (una especie de rosa blanca trepadora), pero todavía necesito investigar más. Tengo confianza en que terminaré la presentación antes de la fecha límite, que es dentro de seis semanas, y que podré reproducir partes de las grabaciones para recrear las voces de los sobrevivientes.

Calendario de entrega

Leer un artículo de problema y solución

¿QUÉ APRENDEREMOS?

En esta sección leerás un artículo de problema y solución. También aprenderás a:

■ analizar una estructura de problema y solución

■ identificar ideas principales declaradas e implícitas

L os locutores de la televisión reportan los problemas en tonos mesurados. Titulares grandes en los periódicos los reportan a gritos. Incluso los volantes caseros pegados en los postes telefónicos los comunican—"¡Socorro! ¡Gato extraviado!". De hecho, la información sobre problemas nos bombardea tan frecuentemente que los mensajes particulares pueden perderse en un masa amorfa incomprensible. ¿Cómo entenderlos? El primer paso es darse cuenta de que, a pesar de las diferentes maneras en que se presentan, los mensajes de problema y solución comparten varias características importantes.

Preparación para la lectura

DESTREZA DE LECTURA

Estructura de problema y solución   Aunque dos piezas de problema y solución no sean idénticas, la estructura de tales piezas es usualmente muy similar. Esto se debe a que, todos tendemos a pensar en los problemas con una cierta lógica. En papel, el proceso se ve más o menos de esta forma:

explicación del problema → soluciones posibles → mejor solución o resultado final

Mientras lees el siguiente artículo, trata de mantener este patrón básico, o "gran imagen", en mente.

ENFOQUE DE LA LECTURA

Ideas principales declaradas e implícitas   Los ensayos de problema y solución siempre contienen una idea principal, pero algunas veces más que *declarada* está *implícita*. Mientras que las **ideas principales declaradas** se expresan de manera clara, las **ideas principales implícitas** son más capciosas. De hecho, te piden jugar al detective—debes **inferir** o sacar conclusiones acerca de la idea principal reuniendo claves en la lectura. Mientras lees el siguiente artículo, piensa en cómo se comunicó una idea principal.

Mientras lees el siguiente artículo, anota tus respuestas a las preguntas de lectura activa.

Tomado de **International Wildlife**

LORO SOLO Y SIN COMPROMISO—macho macao Spix[1], sudamericano, azul en su mayoría, último de su especie. Desea hembra con fines matrimoniales, para anidar. Abierto a las citas a ciegas arregladas por científicos y coleccionistas de aves.

Por Mac Margolis

Una tarde en Curaçá, un pueblo horneado por el sol de los alejados territorios del noreste de Brasil, se realiza una callada vigilia. Tres hombres sentados en bancos de madera, en la parte trasera de una granja de estuco y zarza, mantienen la mirada fija en una delgada franja de árboles y arbustos al borde de la cuenca seca de un arroyo. Examinan la cima de árboles. No se necesitan binoculares. Los hombres conocen bien los hábitos de su visitante anticipado, el pequeño macao Spix de color azul, una especie cuya presencia en la vida salvaje ha llegado al mínimo posible, un solo ejemplar macho.

> **1.** ¿Qué problema puedes inferir de la nota que actúa como encabezado y del primer párrafo?

De pronto se escucha, débil, pero inconfundible: aark, aark, aark. "El macao", dice el biólogo Marcos Da Ré, guardián principal del lugar. Mira la hora en su reloj pulsera. "Cinco y dieciséis", anuncia a todos. De repente se ve pasar una mancha azul que contrasta con el cielo azul claro. El macao vuela en dirección de las copas de los árboles caraibeira, donde descansará durante la noche.

A su lado se encuentra una hembra maracaná, o macao de Illiger, más pequeña, pero también más colorida que el macho. El macho, impulsado por su soledad o por la necesidad instintiva de establecer un lazo social con la hembra, se convierte en compañero constante de la maracaná. Vuelan en círculos y planean hasta desaparecer entre el camuflaje de las hojas de los árboles.

Las dieciséis especies de macaos que existen en el mundo habitan en regiones dispersas, de México hasta Argentina. La especie diecisiete se extinguió al inicio del siglo XX. Nueve de las dieciséis especies restantes se encuentran en peligro de extinción, aunque ninguna en el caso extremo del Spix. Da Ré es un biólogo unido al esfuerzo científico para salvar al Spix de la extinción mediante la localización de una hembra como pareja posible del único macho existente. Si el proyecto tiene éxito, servirá de inspiración para otros proyectos similares alrededor del mundo.

---

1. Spix: se pronuncia /*shpiks*/; es un tipo de loro.

La especie macao Spix fue reconocida por las ciencias en 1819, cuando el afamado naturalista austriaco Johann Baptist von Spix cazó uno durante una visita a Brasil. El ave no fue vista de nuevo hasta 1903, y los científicos no lo han visto con frecuencia desde entonces. En 1986, el científico suizo Paul Roth detectó una familia de tres en el arroyo Melancia, a unos 800 kilómetros (500 millas) de Salvador, una ciudad en la costa, cerca del lugar donde Spix había cazado su espécimen. Sin embargo, el comercio de animales salvajes y la destrucción causada por los habitantes de la región los había alcanzado también. En 1988, los naturalistas llegaron a pensar que, con excepción de algunos ejemplares en cautiverio, el Spix macho se había extinguido.

2. ¿Por qué crees que el escritor incluyó información de fondo en este párrafo y el siguiente?

Luego, en 1990, después de que un agricultor de la localidad tomara algunas fotografías instantáneas de un gran loro azul, un equipo de naturalistas se internó en la región y logró detectar un macho Spix en el arroyo Melancia. Los científicos creen que este es el último macho de su especie en los alrededores de Curaçá.

Los brasileños llaman a esta región *caatinga,* un territorio abrasado por el sol donde sólo hay terrenos áridos, cuencas vacías de ríos, cactos y la aparición ocasional del noble caraibeira. Estas áridas tierras proporcionan un hábitat para tres especies de macaos, incluido el Spix.

3. ¿Qué palabras o frases de este párrafo indican que la solución podría ser difícil de encontrar? ¿Tienes una idea clara del problema hasta ahora?

Si no fuera por el obstinado macho de Curaçá, los macaos Spix serían una nota de ornitología[2]. Con la finalidad de salvar a esta especie, un grupo de científicos inició una larga y desafiante campaña a finales de los años ochenta. En esa época, estos científicos sólo tenían una vaga idea de quiénes eran los poseedores de los diez o doce macaos Spix, por lo que recuperarlos parecía todo un reto. "No sabíamos quiénes tenían las aves, dónde las tenían y mucho menos de qué sexo eran", dice Iolita Bampi, jefa actual del departamento de fauna silvestre del departamento del ambiente de Brasil (IBAMA). "Empezamos sin saber nada".

En 1989, IBAMA convirtió a este grupo de científicos en una entidad formal, el Comité Permanente de Recuperación del Macao Spix, e hizo un llamado de ayuda a conservacionistas[3] de tres continentes. Al no saber si existían machos Spix en otras partes del mundo, el nuevo comité enfocó sus esfuerzos en reproducir el puñado de aves que había recuperado, con la intención de crear una reserva de macaos que más tarde pudiera ser devuelta a la vida salvaje. Cuando el comité descubrió al macho salvaje, le contrató a Marcos Da Ré para realizar una investigación de campo en el área donde el ave había aparecido.

La búsqueda del comité no sólo resultó bastante difícil, sino también delicada. Además de involucrar a varios especialistas en macaos, autoridades

---

2. **ornitología:** rama de la zoología que se dedica al estudio de las aves.

3. **conservacionistas:** personas que defienden el cuidado de la naturaleza y los recursos naturales.

ambientalistas y diplomáticos, el comité también trató de llegar al mundo privado de los coleccionistas y criadores. Aunque algunos de estos coleccionistas tienen negocios legítimos en sus países, antes fueron compradores del bajo mundo del tráfico de animales, una actividad que, según datos de las agencias policiacas internacionales, genera más dinero que cualquier otra actividad de tráfico ilegal, con la única excepción del narcotráfico.

En Brasil, la captura, venta o compra de animales salvajes está prohibida. Aun así, exigir que los coleccionistas devolvieran los macaos habría sido un proceso complejo y desgastante, dice Natasha Schischakin, quien encabeza los trabajos del comité en el área de la crianza en cautiverio. Lo que es más, muchos coleccionistas tienen gran experiencia e incluso la habilidad de reproducir a los Spix en cautiverio. Es por eso que el comité y el gobierno de Brasil acordaron que los poseedores de las aves podrían participar en el programa de recuperación, siempre y cuando cedieran los derechos al comité, de forma que las aves pudieran considerarse como una sola población. Para animar la participación de los coleccionistas, el gobierno de Brasil prometió a los avicultores[4] que participaran en el programa la garantía de la amnistía[5], es decir, que no serían perseguidos por la posesión ilegal de un macao.

4. Este párrafo y los dos anteriores describen las soluciones políticas del comité. ¿Cuáles son?

Aparentemente movidos por la difícil situación de los macaos, cinco criadores privados—uno en Filipinas, uno en España, uno en Suiza y dos en Brasil—se unieron al proyecto. La cooperación de estos criadores fue una clave del éxito. Ahora los cinco son socios plenos del programa.

Pero aunque las políticas han cambiado, los desafíos biológicos aún son abrumadores[6]. Estos incluyen adaptar a los Spix al cautiverio para después liberarlos e idear una manera de presentar una hembra en cautiverio a un macho en libertad sin alterar su hábitat natural.

5. ¿Cuál es la idea principal de este párrafo?

Para ello, el comité localizó en Recife, Brasil, una hembra Spix en cautiverio apta para este propósito y empezó a prepararla para ponerla en libertad. Atrapada en la edad adulta, había vivido en una jaula por casi siete años. "Si la hubiéramos liberado sin prepararla, habría muerto de inmediato", dice Marcos Da Ré.

La lora fue a un campo de entrenamiento en el que Da Ré sería su sargento de capacitación. Durante ocho meses, él le enseñó ejercicios de vuelo y la alimentó con la espartana dieta de un ave de trabajo. Registró el tiempo que le tomaba al ave romper una nuez para comer, cronometró sus vuelos y hasta contó el número de aleteos.

El curso de preparación funcionó. A mediados de marzo, la hembra dejó la jaula. Los investigadores pusieron comida cerca de la jaula para que la lora no se alejara demasiado mientras se ajustaba a su nuevo ambiente. Pronto voló hasta la caatinga, pero en unas cuantas semanas regresó junto con el

---

4. **avicultores:** personas que se dedican a la crianza de aves.
5. **amnistía:** perdón.
6. **abrumador:** descorazonador o intimidante.

macho y su compañera maracaná. Las tres aves volaron juntas por casi seis semanas, a veces con otras maracanás. Se elevó la esperanza cuando, de noche, la pareja de Spix se apareó.

Luego, un día de junio, la hembra Spix desapareció. Los biólogos sospechan que las maracanás decidieron formar dos grupos, con un Spix macao para cada grupo. Hasta conocer con certeza la razón del comportamiento de la hembra, los investigadores mantienen una vigilancia constante en una superficie de 2,000 kilómetros cuadrados (772 millas cuadradas), aunque esto sea como hallar una aguja azul en un inmenso pajar. Mientras tanto, el comité trata de aumentar el número de Spix en cautiverio. Las siete aves nacidas en 1995 aumentaron el total a 39.

Da Ré ha descubierto que la protección de los macaos implica trabajar en las comunidades humanas. Por eso ha incluido en su misión un programa de ayuda a las empobrecidas comunidades rurales.

> **6.** En este momento, ¿cómo crees que la nueva solución puede ayudar al macao Spix?

Hace algunos años, Curaçá era una próspera aldea de pastores de ovejas y peleteros cuya labor sirvió para pavimentar las calles de la aldea, construir algunos edificios e incluso crear un grupo teatral. Actualmente, el paladar brasileño ha cambiado de la carne de carnero a la carne de res, además de importar pieles de mejor calidad provenientes de África y Argentina. En su etapa de prosperidad, los habitantes de caatinga no dañaron la rara y delicada flora de la localidad. Sin embargo, las dificultades económicas acarrearon alteraciones ecológicas cuando los pastores trataron en forma desesperada de sobreponerse a la falta de suministros y arrasaron los pocos árboles que quedaban, para construcciones y cercas de madera, lo cual dejó un paisaje desnudo[7], aún más vulnerable a la sequía. Hoy en día, la vida de los macaos y la de Curaçá penden de un hilo.

No obstante, Da Ré ha encontrado algunos amigos ahí. "Estas personas son mis ojos, mis exploradores", dice. Da Ré se ha involucrado en la vida de estas personas tanto como ellas en el destino del pequeño macao azul. El interés no es sólo sentimental. El pastoreo y la tala inmoderados no sólo han afectado el hábitat del Spix, sino también la productividad de los pastizales y granjas. Es por eso que Da Ré y su equipo se han dado a la tarea de construir cercas y enseñar a los habitantes de la localidad técnicas rotativas de pastoreo y de reforestación con la finalidad de proteger los campos de pastoreo y el hábitat del macao.

Conseguir los medios para la construcción de cercas, escuelas y centros de actividades culturales y deportivas no ha sido fácil. Sin embargo, sus esfuerzos en beneficio de la aldea le han ganado el respeto de las personas y aliados para el macao. Toda la comunidad se ha involucrado de alguna manera en la lucha por salvar al ave. La difícil situación del *ararinha azul*[8] ha inspirado poemas, obras de teatro, canciones y hasta un desfile local en el que los niños participan disfrazados de macaos con plumas azules. Los

---

7. desnudo: sin nada que lo cubra.

8. ararinha azul: "pequeña ave azul", en portugués.

habitantes de Curaçá siguen el cortejo de estas aves con la misma atención que el resto de los brasileños siguen las *telenovelas* por televisión.

El caso del macao Spix, dice Da Ré, muestra cómo una comunidad tan pobre como lo es Curaçá, dada la mínima oportunidad, puede jugar un papel fundamental en la conservación de la naturaleza. Y espera que el esfuerzo realizado en Curaçá tenga eco en otras comunidades. "Gracias al macao Spix no sólo hemos adquirido conocimientos biológicos acerca de esta pequeña ave, sino también sobre la historia ambiental de toda una región", dice Da Ré. "El macao es una especie que puede servir de guía para salvar a otras especies en peligro de extinción".

> **7.** ¿Cómo crees que las ideas de este párrafo apoyan, amplían o contradicen lo que consideraste como idea principal del artículo?

SALVEMOS LA CIUDAD HUNDIDA

A lo largo de su historia, Venecia, Italia, ha librado una batalla constante con el agua. Venecia se construyó sobre isletas de arena de poca altura sobre el nivel del mar. Cada año, el nivel del agua aumenta un poco y las islas se hunden en la misma medida. Un escritor en el año 523 d.C. dijo lo siguiente sobre Venecia, "Ahí yacen las casas como los nidos de los pájaros de mar, la mitad en agua y la mitad en tierra . . . aun así, no existe el temor de que tan frágil barrera nos separe del agua".

INSTRUCCIONES
Escribe las respuestas a las preguntas en el espacio indicado.

1. ¿Qué problema central puedes inferir después de leer el primer párrafo?

Los habitantes de Venecia han mantenido con mucho cuidado sus "nidos" en forma de hermosos palacios e invaluables obras de arte durante más de 1,500 años. Sin embargo, en el presente, el riesgo de hundimiento es cada vez mayor y definitivo. Esto podría significar la pérdida de una de las piezas más valiosas de la herencia del mundo entre las olas.

2. En este párrafo, ¿qué puedes inferir que es la importancia cultural de Venecia?

Venecia se construyó en un grupo de 120 islas en el mar Adriático, en la parte noreste de Italia. La ciudad siempre ha sido un puerto importante. El famoso explorador Marco Polo partió de Venecia y navegó al este en 1275 para regresar después de haber descubierto vía marítima. Su intercambio comercial con China convirtió a Venecia en la ciudad más importante de todo el Mediterráneo. Los mercaderes de Venecia eran más ricos que muchos reyes europeos y pagaban a los talentos más renombrados de la época para hacer de su ciudad la "Reina del Adriático". En pocas ciudades se puede igualar el romance que representa Venecia, donde los canales toman el lugar de las calles y las personas viajan en botes en lugar de automóviles.

Esta singular ciudad ha prosperado a pesar de que el nivel del mar se ha elevado alrededor de trece centímetros cada siglo. Además, la isla también ha comenzado a hundirse debido al peso de los edificios que hay en ella. La tecnología moderna ha empeorado esta situación. Para mejorar las condiciones de navegación, los venecianos hicieron más profundo el puerto en la zona conocida como la laguna. Esto permitió el paso de una mayor cantidad de agua de mar a tierra y llegó a producir mareas que inundaron la ciudad en parte. Los niveles de contaminación del agua aumentaron e hicieron el agua más dañina para los cimientos de los edificios. Cuando las industrias empezaron a bombear el agua del subsuelo, la tierra se hundió con mayor rapidez.

3. ¿Qué condiciones hicieron más riesgosa la inundación en Venecia?

Durante el siglo XX, el nivel del agua en Venecia aumentó alrededor de veinticinco centímetros debido al calentamiento global ocasionado por la contaminación. Los científicos predicen que en el siglo XXI la tasa podría duplicarse. A principios del siglo XX, una importante atracción turística, la Plaza de San Marcos, se inundaba unas cinco veces al año. Hoy en día, la plaza se inunda un promedio de cincuenta veces al año.

> **4.** ¿Qué evidencia hay de que la inundación de Venecia se agravó durante el siglo XX?

¿Cómo protegerá Venecia sus tesoros de las inundaciones? Algunas personas argumentan que los venecianos deberían repetir lo que solían hacer en el pasado, es decir, aumentar el nivel del suelo en las islas. Sin embargo, esta solución resultaría muy costosa y cubriría parte de algunas atracciones turísticas como la misma Plaza de San Marcos. Además, la erosión de los cimientos de los edificios expuestos al mar continuaría.

Algunos científicos proponen construir un sistema de compuertas mecánicas alrededor de Venecia. La ciudad cerraría las compuertas cada vez que subiera la marea. Aunque el gobierno italiano apoyó esta solución por varios años y algunos ingenieros incluso probaron varios modelos de compuertas, la solución permanece en controversia. La construcción de las compuertas representaría un costo de 3 billones de dólares,

> **5.** ¿Por qué algunas personas se opondrían a la construcción de compuertas mecánicas en la ciudad de Venecia?

más 2 millones al año como gastos de mantenimiento. En vista de que los niveles de la marea cambian constantemente, las compuertas tendrían que usarse con más frecuencia. Los científicos predicen que para el año 2050, la ciudad tendría que cerrar las compuertas al menos una vez a la semana y en algunos casos una vez al día. Tal cantidad de maniobras de apertura y cierre acabaría con los embarques y aumentaría los niveles de contaminación del agua, ya que los contaminantes del puerto son limpiados por el agua de mar que fluye.

Otro grupo de científicos propone una solución más gradual. Por ahora, dicen ellos, los venecianos deberían tomar medidas menores de control de inundaciones, como aumentar el nivel de las aceras e instalar compuertas de acero para proteger a los edificios más bajos. También podrían centrar su atención en limpiar los desechos industriales del puerto y desplazar el puerto hacia tierra firme. De esta manera, las compuertas protegerían a la ciudad de las inundaciones sin afectar los embarques. No obstante, esta solución requiere de la cooperación de los diferentes

> **6.** ¿Qué palabras y frases de este párrafo indican que la solución puede ser difícil de aplicar?

estratos en los gobiernos de las ciudades, regiones y del país mismo. Cada grupo tiene intereses de conflicto en el futuro de la ciudad. Muchas personas creen que las partes nunca llegarán a un acuerdo sobre éste y otros problemas, antes que sea demasiado tarde.

La propuesta de limpiar la laguna, desplazar el puerto a tierra firme y construir compuertas es la única opción razonable por el momento. El plazo para debatir los méritos de cada propuesta ha terminado. Sin embargo, el nivel del agua sube cada año. Si no se llega a un acuerdo pronto, el mundo podría observar cómo Venecia y sus preciosas obras de arte se convierten en un tesoro submarino, sin poder hacer nada para evitarlo.

> **7.** ¿Cómo apoyan las ideas de este párrafo los datos que consideraste como ideas principales del texto?

Escribir un ensayo de problema y solución

¿QUÉ APRENDEREMOS?

En este taller escribirás un ensayo de problema y solución. También aprenderás a:

- **investigar y analizar un problema**
- **investigar y analizar soluciones**
- **componer preguntas de entrevista**
- **mejorar el estilo de las oraciones al combinar oraciones**
- **corregir los problemas de concordancia sujeto-verbo**

Calentamiento global. Adolescentes fumadores. Juguetes peligrosos. Ataques cardíacos. Todos los días—y por todas partes—científicos, políticos, economistas y ciudadanos identifican problemas y buscan soluciones. Con frecuencia, las soluciones son fáciles de identificar, o los involucrados en el problema se apasionan en resolverlo. Sin embargo, algunas veces los problemas son complicados o difíciles de manejar. Estos problemas deben ser abordados con una mente abierta, analizados cuidadosamente y después *explicados* a otros que puedan ayudar a solucionarlos. En el siguiente taller de escritura, esto es precisamente lo que harás. Como reportero del periódico de tu comunidad, identificarás un problema y explorarás sus posibles soluciones; luego, explicarás tus hallazgos a los demás.

Mientras pienses en el siguiente proyecto, recuerda dos puntos básicos de los problemas y las soluciones. Primero: los problemas son con frecuencia complejos. Segundo: usualmente hay más de una solución al problema. Si piensas escribir acerca de la tensión que ocasionan los exámenes de admisión a la universidad, por ejemplo, no puedes llegar a las soluciones a menos que dividas el problema en partes: el temor de los estudiantes de ir a la universidad o no ser aceptados en la universidad "correcta", la presión de la familia y los consejeros escolares, etcetera. Luego, al buscar las soluciones, debes considerar y describir varias posibilidades—no sólo la que mejor te parece. (Después de todo, eres un reportero, ¿no?)

Demasiado de algo bueno

INTRODUCCIÓN

Anécdota que crea
interés

Son casi las 11 en una cálida noche de jueves. Mientras la mayoría de los hogares están a oscuras, la casa número 4817 de la calle Citrus es una excepción. Una débil pero constante luz azul brilla en una ventana; la luz proviene del monitor de la computadora de Melinda Key. La muchacha de diecisiete años de edad ha pasado las últimas siete horas frente a la pantalla, sin asistir a su práctica de béisbol, sin cenar y sin siquiera ver su programa favorito de televisión. A pesar de estar rendida y tener los ojos rojos, no terminará hasta muy tarde.

¿Acaso trata de completar un trabajo escolar urgente? ¿Escribe una novela? ¿Escribe un ensayo para la solicitud de la universidad? La respuesta a todas estas preguntas es un contundente "no".

Declaración del
problema

Melinda es adicta a la Internet, y no es la única. Al igual que muchos otros miles de adolescentes y adultos, ella pasa cada momento libre de su vida conectada en línea. Conforme crece el uso de las computadoras, este problema cada vez afecta a un mayor número de personas. Las razones son evidentes: conectarse en línea es divertido, ofrece un escape a las presiones cotidianas e incluso permite expresar parte de tu personalidad sin que experimentes timidez ni seas juzgado. Aunque muchos amigos y padres de familia se preocupan, las personas que abusan de la Internet no consideran que esto sea incorrecto. Ante todo, el primer paso en la resolución del problema es reconocer que existe un problema.

Solución

CUERPO

Las historias de personas que pierden a sus esposos(as), hogares y empleos por permanecer "pegados" a la computadora abundan por doquier, sin embargo, a últimas fechas se han encontrado evidencias científicas de este problema. Un equipo de expertos de la Universidad Carnegie Mellon realizaron una investigación para conocer la relación entre el uso de la Internet y el aumento de la soledad y la

Descripción amplia del
problema, con
evidencia

(continúa)

(continúa)

depresión. Además del equipo de la Universidad Carnegie Mellon, la doctora Kimberly Young, psicóloga clínica de la Universidad de Pittsburgh, ha iniciado su propia investigación de lo que llama "desorden de adicción a Internet" o "DAI" (IAD en inglés). Ella compara el DAI con otras formas de adicción porque el DAI implica una obsesión con un elemento (conectarse en línea), con el consecuente descuido de escuela, trabajo, familia, amigos, otras actividades recreativas, pasatiempos, ejercicio y hasta la comida. La doctora Young considera que quienes sufren el DAI experimentan síntomas característicos de otras adicciones—pérdida de sueño, ansia y aislamiento, por ejemplo. No todos los expertos están de acuerdo en que el uso excesivo de la Internet ocasione efectos psicológicos nocivos, pero es aparente que un uso exagerado y constante que llega a la exclusión de otros aspectos de la vida no es saludable y debe tratarse.

Primera solución

Aunque la escuela secundaria de Melinda ofrecía un grupo confidencial de comentarios en línea donde los adolescentes podían hablar con un consejero, el grupo salió de circulación pronto por falta de interés de los estudiantes.

Resultado

De hecho, Melinda nunca asistió a las sesiones. Y su reacción es común—muchas personas aún no creen que la

Parte más importante del problema

"adicción a la Internet" sea un problema de consideración.

La doctora Young y otros especialistas en el campo se han concentrado en cambiar esta percepción con ayuda de los sitios Web dedicados a la educación. Para ayudar a las personas a decidir si en realidad hacen uso excesivo de la Internet, estos sitios ofrecen cuestionarios con una amplia variedad de preguntas, como "¿Alguna vez has dejado de dormir para navegar en Internet?" o "¿Piensas de manera constante o incluso ansías tu próxima sesión en línea?"

Solución más simple

Una vez reconocido el problema, existen várias soluciones para atacarlo. Algunas son físicas, es decir, externas. Por ejemplo, mover la computadora de la habitación del

Otras soluciones

interesado a un lugar público como la cocina o la sala. Esto

(continúa)

(continúa)

permite que otras personas supervisen el uso del equipo. Otra opción es que el interesado, su familia o los amigos establezcan límites de tiempo de uso.

El tema principal no es el tiempo que se usa la conexión en línea, sino el tiempo perdido por esto. Los usos de la Internet son muy diversos. Es en esta área donde pueden aplicarse soluciones relacionadas razonadas. Por ejemplo, quienes argumentan que la Internet es educativa, deben recordar que no siempre es así. Reconocer las diferencias entre pasar horas en grupos de charlas y participar en sesiones en línea para cumplir con tareas escolares, por ejemplo, puede ser el primer paso para evitar el uso en exceso de la conexión. El grupo de investigación de la Universidad Carnegie Mellon señala que sus conclusiones sobre los efectos negativos del uso excesivo de la Internet no se aplica en las oportunidades educativas que ofrece la misma.

Más soluciones

Desde luego, la prevención es la mejor manera de resolver el problema de la adicción en línea. Mantenerse ocupado en actividades sociales, charlar con los amigos, hacer ejercicio y definir límites en el tiempo de uso (o en el tipo de material usado) puede mantener a los usuarios fuera del rango de la adicción. Aun así, la prevención sólo puede solucionar el problema si la persona adicta está consciente de esto; quienes han cruzado los límites pueden necesitar ayuda especializada para volverse a conectar con el mundo real. Como explica uno de los investigadores de la Universidad Carnegie Mellon: "La lección es que nadie debe esconderse de la familia o los amigos para escapar al ciberespacio". Si todos aprendemos esta lección—y la enseñamos a los demás—no veremos el problema de la adicción crecer en la misma medida que el uso de la Internet.

CONCLUSIÓN
Nueva declaración del problema

Resumen de soluciones

Leer un análisis literario de una novela

¿QUÉ APRENDEREMOS?

En esta sección leerás un análisis literario. También aprenderás a:

- parafrasear
- reconocer los usos de la evidencia literaria

¿Por qué son tan populares las novelas? Algunas personas opinan que son especialmente satisfactorias debido a que son ricas en significado. Con frecuencia una novela refleja la cultura en la que ha sido escrita, tiene personajes coloridos e inolvidables, o explora temas universales. Si las novelas son tan interesantes ¿por qué, entonces, leerías un **análisis literario** de una? Una de las razones es escuchar las ideas de otros. Al escuchar, entendemos mejor una pieza de literatura y quizá nos comprendamos mejor entre nosotros. Nos convertimos en una comunidad de lectores unidos por el interés en el significado de la novela. Mientras lees el análisis literario de *La letra escarlata (The Scarlet Letter)* de Nathaniel Hawthorne, piensa en los aspectos de la novela que el escritor escogió para comentar.

Preparación para la lectura

Parafrasear   Cuando **parafraseas,** expones las ideas o palabras de alguien más en tus *propias* palabras. Parafrasear es una buena manera de verificar si comprendiste el punto principal y los detalles de lo que lees. En los artículos de literatura, los escritores usan la paráfrasis para explicar los pasajes en un trabajo literario que son muy largos o difíciles de citar de forma directa. Mientras lees la siguiente selección, trata de encontrar los lugares en los que la autora, Nina Baym, vuelve a exponer porciones de *La letra escarlata (The Scarlet Letter)*.

> DESTREZA DE LECTURA

Apoyar un análisis literario   Como muchos otros ensayistas, los escritores de análisis literarios usan la **evidencia** para apoyar sus ideas e interpretaciones. En otras palabras, los escritores no sólo le hablan a los lectores acerca de sus ideas—

> ENFOQUE DE LA LECTURA

las *muestran* con detalles tomados del mismo trabajo literario. Estos detalles, llamados **evidencia literaria,** toman la forma de paráfrasis, compendios o citas. (Las citas directas se citan con el número de la página dentro del texto). La evidencia literaria—más la elaboración del escritor que explica el significado de la evidencia—apoya las interpretaciones del escritor y su razonamiento. Mientras lees la siguiente selección, busca ejemplos de cómo el escritor usa detalles de apoyo de la novela para mostrar la validez de sus ideas.

En la siguiente sección, Nina Baym, profesora de universidad británica, centra su atención en Pearl, uno de los personajes de la novela simbólica de Nathaniel Hawthorne, La letra escarlata *(The Scarlet Letter)*. Hester Prynne, la madre de Pearl, ha sido acusada de adulterio por una comunidad puritana y como castigo es obligada a usar una letra "A" de color escarlata. A pesar de su humillación pública, la letra une a Hester con su hija ilegítima y con el predicador religioso Dimmesdale, el padre de Pearl. En este extracto, tomado de su libro de críticas literarias, Baym explica lo que Pearl representa en la novela. Mientras lees, anota tus respuestas a las preguntas de lectura activa.

El personaje de Pearl

Por Nina Baym

El personaje de Pearl es tanto, o más aún, una función simbólica, al igual que una representación de una niña humana. En todas las descripciones de Pearl se enfatiza su afinidad[1] con la letra escarlata. Ella es su símbolo, su doble, su agente: "Era la letra escarlata en otra forma; ¡la letra escarlata con el don de la vida!" (102). Hester viste cuidadosamente a Pearl con un ropaje que imita el color y el bordado de la letra; este gesto también enfatiza el hecho de que la criatura sea hechura de su madre. Y como tal, es a la vez algo que la madre produce de manera deliberada y el reflejo de la madre, a pesar de sí misma. Más particularmente, ella refleja las hazañas de su madre que le dieron vida (su vida nunca se atribuye a su padre).

> **1.** ¿De qué maneras describe Baym al personaje de Pearl?

En cierto sentido, el sentido puritano, tales hazañas rompen las reglas. "La niña no podía ser dispuesta[2] a las reglas. Al darle la existencia, había quebrantado una regla muy importante; y el resultado era un ser cuyos elementos eran quizá hermosos y brillantes, pero en total desorden" (91). Hester reconoce en el carácter de Pearl el "bienestar" de su propio espíritu durante los meses de su embarazo: "Pudo reconocer su desesperada y desafiante forma de ser, la volatilidad de su temperamento y hasta algunas de las formas nebulosas de melancolía y desánimo que habían criado en su corazón" (91).

> **2.** ¿Qué ideas principales de Baym crees que apoyan las dos citas del segundo párrafo?

En otro sentido, sin embargo, la niña representa la belleza, la libertad y la imaginación, así como todas las cualidades naturales que el sistema puritano niega.

Hermosa, inteligente, de formas perfectas, vigorosa, graciosa, apasionada, imaginativa, impulsiva, caprichosa[3], creativa, visionaria: estos sólo son algunos de los adjetivos con los que se le describe. Y son características tanto de Hester como de Pearl. Tal descripción sugiere que Pearl no es un

---

1. **afinidad:** cercanía, relación.
2. **dispuesta:** responsable, capaz de controlarse.
3. **caprichoso:** extravagante, con una conducta impredecible e impulsiva.

personaje independiente, sino una abstracción de los elementos que forman al personaje de Hester: una especie de "doble" u "otro yo". Esto significa que el análisis del personaje de Pearl es en realidad un análisis de Hester y que la rebeldía de la niña muestra lo superficial que es en realidad el tranquilo y servil comportamiento público de Hester. Además, el gran amor de Hester por la niña significa en parte su negativa a desentenderse de su "pecado" mediante el juicio de un origen maligno.

> **3.** Además de "la rebeldía", ¿qué otras características relacionan a Pearl con Hester?

Pero Pearl no es simplemente la división e intensificación de algunos aspectos de la personalidad de Hester y una medida de las actitudes de ésta, aparte de cualquier actitud de Hester, ya sea consciente o inconsciente, Pearl parece tener una relación especial y original con la letra. No sólo representa la letra, como Hester podría concebirla, sino también un agente en un esquema[4] totalmente independiente de ella. Si, en el esquema de Hester, la niña representa elementos de una belleza desafiante y rebelde, en este otro esquema

> **4.** Según la escritora, ¿qué dos elementos representa Pearl en la relación con su madre?

representa una forma de conciencia. Es su papel reforzar la culpabilidad de la madre, además de su propia rebelión. Ella logra esto al hacer que a Hester le resulte imposible olvidarse de la letra. La letra es el primer objeto reconocido por Pearl durante su infancia y la mantiene como objeto central en la vida de Hester al tenerla presente desde su perspectiva infantil. Vemos este papel de énfasis con mayor claridad en la escena del bosque, la única vez en que Hester se deshace de la letra. De manera inconsciente para la renaciente[5] juventud, belleza y felicidad de la madre, Pearl se rehusa a reunirse con ella hasta que la letra sea devuelta a su sitio original. Sólo cuando ella usa la letra puede Hester ser su madre: Y esto, por asombroso que parezca, es la verdadera percepción de Pearl. Si Hester repudiara[6] la letra, en realidad estaría repudiando a Pearl.

Gran parte de la descripción de Pearl es realista; no sólo es un símbolo y una alegoría[7]; Hawthorne usa las entradas de su diario sobre la llegada de su primera hija, Una, como elementos para la concepción de Pearl. Rebeldía, capricho e imaginación, son las características constantes de una niña dotada de gran energía y creatividad, además de una gran dosis de libertad. Para Hester, ella carece de referencias y capacidad de adaptación al mundo en el que nació (91). Tan alejada de la sociedad como lo está Pearl, para cualquier niño sería sumamente difícil adaptarse.

Si pudiéramos desligar a Pearl de sus tareas simbólicas en la novela, quizá la describiríamos como una niña común y corriente (para la época), poco idealizada y sentimentalista. La atracción que siente por la letra se explica con facilidad: la letra es una pieza colorida y brillante. La asociación

---

4. esquema: plan general, sistema de organización definida.

5. renaciente: que regresa, que sale de nuevo.

6. repudiar: deshacerse de algo en público, rechazar una relación.

7. alegoría: historia cuyos personajes tienen un significado simbólico.

que hace con su madre es también comprensible: Pearl nunca ha visto a Hester sin la letra. Y en cuanto a su conducta en el bosque, la misma Hester explica que la niña sólo siente celos. Su reflejo del comportamiento de Hester pudiera no ocultar ningún misterio: Al pasar tanto tiempo en compañía de su madre, al depender tanto de ella y poseer una naturaleza tan imaginativa, es natural que Pearl se sienta tan ligada a su madre, incluso más de lo que su preocupada madre pueda estar ligada con ella. La actitud indomable de Pearl durante la última escena en el mercado, dice el narrador, "se basa en la intranquilidad de la madre"(244).

> **5.** Lee este párrafo y el anterior con atención. ¿Por qué la escritora cree que Pearl es un personaje realista?

Por realista que sea, no es un error pensar que al final del libro (cuando besa a su padre)[8] Pearl adquiere una verdadera personalidad humana por primera vez.

> El hechizo se ha roto. La gran escena de angustia, en que la rapaz infante desempeñaba una parte fundamental, ha desarrollado su compasión; y mientras sus lágrimas caen sobre las mejillas de su padre, son la prueba de que crecerá entre la alegría y el dolor humano, no para luchar contra el mundo, sino para convertirse en una mujer. En cuanto a su relación con su madre, el destino de Pearl como mensajera de angustia también se cumple cabalmente (256).

De esta manera, Pearl ha sido portadora del mensaje (su ángel, en el sentido original de la palabra) y encarnación[9] de la letra; pero también ha sido su víctima. Su victimización ha consistido en negarle su propia realidad. Justo en el momento en que se convierte en un ser real—cuando se completa la entrega de su mensaje a Hester—deja de ser un personaje en la historia[10]. Por lo tanto, el carácter humano de Pearl no es en realidad una parte de *La letra escarlata*, ya que su personaje es mejor concebido como un símbolo y una función que resultan "naturalizadas" cuando se les da unas pocas características reales.

> **6.** ¿Qué punto acerca de Pearl apoya la cita del último párrafo?

From "Pearl" from *The Scarlet Letter: A Reading* by Nina Baym. 1986. Reproduced and translated by permission of **Thomson Learning, www.thomsonrights.com.**

8. **su padre:** Dimmesdale, el predicador que nunca había reconocido ser el padre de Pearl y que siempre ha tenido un gran sufrimiento moral interior por haber dejado que Hester recibiera todo el castigo. Antes de morir, Dimmesdale llama a Pearl para pedirle una señal de afecto (y perdón), y ella lo besa.

9. **encarnación:** dado un cuerpo humano como vivo ejemplo de algo.

10. **[Ella] deja de . . . en la historia:** A partir de este momento, Pearl ya no aparece en la novela como un personaje. Aunque su importancia no disminuye, ya no aparece de nuevo.

LA HISTORIA "EXTERIOR" E "INTERIOR" EN *ETHAN FROME*

La pequeña obra maestra de Edith Wharton, *Ethan Frome* es una novela sobre un granjero de Nueva Inglaterra cuya vida es marcada por una profunda y secreta tristeza. Wharton, quien se siente más familiarizada con la sociedad de Nueva York que con la vida rural, reconoce el reto que representó para ella retratar el paisaje de Nueva Inglaterra. En su introducción a *Ethan Frome,* ella observa que la ficción pocas veces captura el carácter "duro y hermoso" de Nueva Inglaterra. Su intención, dice ella, es presentar "la personalidad de granito" de este personaje: duro, poco sentimental y reservado.

Para describir su tragedia en Nueva Inglaterra de una manera "severa y resumida", Wharton usa el recurso de la "historia exterior", contada por un narrador sin nombre para proporcionar cierta distancia emocional. La historia es conmovedora, pero, según observa Wharton, la angustia de Nueva Inglaterra es poco sentimental y por ello debe ser presentada desde una distancia respetable.

1. ¿Por qué Wharton usa un narrador para crear una "historia exterior"?

El narrador, a quien Wharton nunca nombra, visita Starkfield, Massachusetts, el poblado donde vive Ethan, en un viaje de negocios durante un severo invierno. A diferencia de Ethan, el narrador no vive en el área y se marchará tan pronto como termine sus negocios. Asimismo, y a diferencia del sombrío y callado Ethan, el narrador es articulado, curioso y amigable. Al ver a Ethan ocupándose de sus asuntos en el pueblo, el narrador comienza a interesarse en él. Él llama a Ethan "la figura más destacada en Starkfield, aunque ahora sólo es la ruina de un hombre". (Prólogo)

2. ¿Cuáles son las diferencias entre Frome, quien nació en Nueva Inglaterra, y el narrador?

El narrador empieza a reunir datos sobre Ethan preguntando a sus vecinos. Aunque todos conocen a Ethan y a su familia y recuerdan el accidente que lo dejó lisiado, nadie parece conocer su "verdadera historia". No proporcionar esta información es una decisión consciente de Wharton. Los habitantes de Nueva Inglaterra son reservados y callados, dice ella, y la presencia de un "chismoso" (Introducción) del pueblo que contara la vida de Ethan no hubiera sido fiel al carácter de la región. Conforme distintos personajes presentan fragmentos de la historia al narrador, la "verdadera historia" se revela poco a poco.

3. En este párrafo, ¿qué punto de los personajes apoya la cita presentada?

Cada una de mis historiadores contribuye a la narración *en la medida en que él o ella es capaz de comprender* lo que para ellos es un caso misterioso y complicado; y sólo el narrador tiene el alcance necesario para verlo todo. . . . (Introducción)

Una noche de tormenta, Ethan ofrece alojamiento en su casa al narrador. "Fue la noche en que encontré la clave acerca de Ethan Frome", (Prólogo) dice el narrador.

En este punto, la narración de Wharton hace un viaje de veinte años hacia atrás, a la juventud de Ethan. Y el punto de vista cambia. Los sucesos ocurren ahora desde la perspectiva de Ethan, pero aún se presentan en tercera persona. Los lectores se enteran del matrimonio sin amor de Ethan con la sombría Zeena y su creciente relación con la joven prima de Zeena, Mattie Silver.

4. En este párrafo y el siguiente, el escritor cuenta fragmentos de la novela. Según el escritor, ¿cuál fue la causa del accidente que dejó lisiado a Ethan?

La esperanza que tiene Ethan para un futuro con Mattie se desarrolla con íntimos detalles psicológicos. Lo vemos pasar de la esperanza a la desesperación, hasta llegar a un punto en que intenta suicidarse junto con Mattie en un trineo. Ethan y Mattie sobreviven al accidente, pero con trágicos resultados: Ethan queda lisiado y Mattie se convierte en una persona amargada que, debido a su invalidez, tiene que ser atendida por Zeena. "No veo gran diferencia entre los Frome en la granja y los Frome en el cementerio", comenta un observador (Capítulo 10).

5. ¿Qué punto sobre Ethan apoya la cita de este párrafo?

Después de revelar su "verdadera historia", el narrador regresa al presente para concluir la novela. Este marco deja sin respuesta la siguiente pregunta: ¿Cómo descubre el narrador la historia de Ethan? ¿Cómo relaciona los sentimientos íntimos de la historia de Ethan? La respuesta más obvia es que los detalles son proporcionados por el mismo Ethan, pero el narrador no dice que esto haya sucedido. Ethan permanece tan callado como siempre.

6. Según el escritor, ¿qué pregunta no contesta Wharton en la historia?

Al crear una distancia, la "historia exterior" de Wharton preserva la privacidad de Ethan y su aire de misterio, al tiempo que revela los detalles de su trágica historia de amor. Sólo un narrador ajeno a todo, desde una distancia razonable, puede percibir y luego revelar la agonizante pena que sufre Ethan en su interior, a pesar de su endurecido y callado exterior.

Escribir un análisis literario de una novela

¿QUÉ APRENDEREMOS?

En este taller escribirás un análisis literario de una novela. También aprenderás a:

- leer y responder a una novela
- identificar los elementos literarios
- evaluar la evidencia literaria
- introducir citas en tu texto
- usar correctamente el tiempo presente de los verbos

Tu primera reacción a un trabajo literario usualmente proviene de tus *sentimientos*. Cuando lees una novela, necesitas varias horas para conocer a los personajes y sus experiencias. Al terminar el libro, los personajes aún tienen vida—tal vez no en el carácter ficticio de la novela, pero sí en tu propia mente.

Cuando escribes acerca de un trabajo literario, como lo harás en este taller de escritura, lo haces con base en tu reacción inicial. Sin embargo, además de tus sentimientos, usas el pensamiento objetivo. Vuelves a leer las secciones de la novela con atención, y observas detalles que no captaste la primera vez. Obtienes una idea de cómo se relacionan las distintas partes de la novela—cómo los personajes representan el tema principal, por ejemplo, o cómo el escenario contribuye al modo de escritura. Piensas críticamente acerca de la novela y reúnes todos los significados disponibles. El ensayo final—un **ensayo literario**—muestra la profundidad de tus sentimientos y tu comprensión de la pieza.

Modelo de un escritor

Sueños vacíos—vidas vacías

Incluso antes de escribir <u>The Great Gatsby</u> (El gran Gatsby) en 1925, F. Scott Fitzgerald ya era una ascendente estrella de la literatura americana de los años veinte, con la publicación de su novela <u>This Side of Paradise</u> (Este lado del paraíso). Con su esposa Zelda, vivió a principios de los años veinte la vida de locura que más tarde describe en su novela *El gran Gatsby*. Para la sociedad, después de la Primera Guerra Mundial, los Estados Unidos parecía prometer una cantidad ilimitada de oportunidades financieras y sociales para quien estuviera dispuesto a trabajar duro para conseguirlas—el popular sueño americano. Para algunos, sin embargo, la lucha por el cumplimiento de ese sueño llegó al grado de corromper la esencia del mismo, ya que se amasaban enormes riquezas con el único objetivo de obtener más placer.

Aunque los personajes de la novela de Fitzgerald parecen encajar sin dificultad en la embriagadora atmósfera de los años veinte, en realidad sus vidas describen la simpleza y frivolidad, resultado del dominio que ejerce en ellos la riqueza y el placer. En especial, tres personajes de <u>El gran Gatsby</u>—George Wilson, Jay Gatsby y Daisy Buchanan—revelan con sus vidas vacías la desolación económica, moral y espiritual que se genera en la persecución de sueños vacíos.

Uno de los personajes que persigue un sueño vacío es George Wilson. Se trata de un "hombre rubio sin personalidad, anémico y vagamente guapo"(29), dueño de un taller mecánico en el Valle de las Cenizas, un lugar apartado de los círculos de riqueza descritos en la novela. Aunque Wilson ha incursionado en la compra, venta y reparación de automóviles con la esperanza de volverse rico, no ha logrado el éxito que esperaba. Quiere que Tom Buchanan, el adinerado esposo de Daisy, le venda un elegante automóvil con el que podría obtener jugosas ganancias. El día en que Tom y el narrador Nick Carraway conocen a Wilson en su taller, Nick describe las esperanzas de Wilson y los resultados de sus esfuerzos por negociar con Tom:

(continúa)

INTRODUCCIÓN
Título y autor

Información de fondo sobre el autor y otras obras

Declaración de la tesis

CUERPO
Punto principal: Personaje #1

Evidencia literaria del primer personaje

(continúa)

Cita larga

Cuando nos vio, un destello de esperanza iluminó sus ojos de color azul claro.

"Hola, Wilson, mi viejo", dijo Tom, al tiempo que le daba una palmada con familiaridad en el hombro. "¿Cómo van los negocios?"

"No puedo quejarme", respondió Wilson sin gran convencimiento. "¿Cuándo vas a venderme ese auto?"

"La semana próxima; tengo a mi ayudante trabajando en él justo ahora".

"Parece que trabaja muy lento, ¿no?"

"No, no es cierto", dijo Tom con frialdad. "Y si esa es tu opinión, tal vez sería mejor que tratara de vendérselo a alguien más".

"No quise decir eso", explicó Wilson con rapidez. "Me refiero a que—"

Su voz empezó a apagarse y Tom recorrió con mirada impaciente todo el taller (29).

Elaboración del significado

Con semblante pálido y agotado, Wilson revela que la venta del auto es muy importante para él. Sus ojos muestran el brillo de la esperanza; alega, sin convencimiento, que sus negocios van bien; y con tibieza trata de animar a Tom a negociar. Cuando Tom sugiere la posibilidad de vender su auto a alguien más, Wilson trata de explicarle que su comentario no fue sarcástico, pero su voz se apaga antes de hacerlo. Este breve intercambio de palabras entre Wilson y Tom sugiere que Wilson no tendrá oportunidad de sacar provecho con la venta del auto, ni de realizar su sueño de volverse rico. Su sueño de estabilidad económica está destinado al fracaso.

Punto principal: Personaje #2

Evidencia literaria para el segundo personaje

Información de fondo sobre la novela

Otro personaje que se aferra a una ilusión es el homónimo del título del libro, Jay Gatsby. Él cree que Daisy aún lo ama aunque hace cuatro años que ella se casó con Tom Buchanan. Antes de la guerra, Gatsby y Daisy se habían enamorado profundamente. Sin embargo, la familia de Daisy no le permitió casarse con Gatsby porque él sólo era un joven soldado sin un centavo en el bolsillo que nunca podría mantenerla. Por esta razón, Gatsby pasa los años posteriores a la guerra volviéndose muy rico, pero sólo lo consigue al involucrarse en actividades ilegales. Para Gatsby, su sueño de riqueza se

(continúa)

(continúa)

confunde con su idealizado amor por Daisy (117). Para él, la persecución de medios económicos es una manera de atraer el amor de Daisy—la mujer de sus sueños que lo rechazó en el pasado debido a su pobreza.

Cuando logra amasar una fortuna, se muda cerca de la casa de Daisy y hace gala de derroches con la esperanza de que Daisy se fije en él y, al sentirse atraída por su mansión y su éxito, deje a su esposo para irse con él. Para su mala fortuna, su recién adquirida riqueza no siempre lo ayuda a conseguir el respeto o la aceptación de las altas clases sociales. Empiezan a correr rumores acerca de su turbio pasado, aunque sus constantes invitados no dejan de devorar la extravagante comida y bebida que se sirve en su casa (48–54). Gatsby usa trajes rosados—demasiado coloridos para pasar por una persona respetable—además de conducir un Rolls Royce de color amarillo vivo, al cual Buchanan llama "carreta de circo" (128) en tono de burla. A diferencia de la clase de personas que frecuentan su mansión, mientras él les ofrece "luz para polillas ocasionales" (83), Gatsby no obtuvo su riqueza de manera natural. No deja de ser un eterno extraño y tampoco tiene éxito en su intento por alejar a Daisy de Tom. En su última conversación, Daisy le grita a Gatsby: "¡Oh, pides demasiado!" (139) Y ella tiene razón. El deseo de Gatsby por tenerlo todo—dinero, clase, poder y a Daisy misma, sin importar el costo—ha corrompido su espíritu y ha probado que sus sueños están vacíos.

A diferencia de Gatsby, Daisy Buchanan parece estar conforme con su adinerado círculo social. El dinero, en vez del amor, ha determinado su elección en su matrimonio. A pesar de su amor por Gatsby, y a pesar de las lágrimas de desesperación que derrama la víspera de su boda al recibir la carta que él le envía, decide olvidarlo. Se casa con Tom Buchanan, quien le obsequia "un collar de perlas valuado en trescientos cincuenta mil dólares" como regalo de bodas (80). Es obvio que para ella la comodidad y seguridad son la única base verdadera en la búsqueda de la felicidad. Por su traición al amor de Gatsby a cambio del dinero de Buchanan, Daisy es a su vez traicionada por su esposo con otra mujer—una mujer que, irónicamente, es ruda, poco

(continúa)

Paráfrasis

Elaboración del significado

Resumen

Elaboración del significado

Punto principal: Personaje #3

Evidencia literaria para el tercer personaje

Resumen

Elaboración del significado

(continúa)

atractiva y además codiciosa—todo lo que Daisy no es. Al enterarse de la corrupción moral de su marido, Daisy—una vez descrita por Nick como "La hija del rey, la muchacha de oro", (127)—traiciona sus votos de matrimonio y regresa con Gatsby.

Sin embargo, cuando Gatsby y ella se reúnen, ella es incapaz de liberarse de los lazos que la atan a los círculos de riqueza, en especial de su esposo, quien habla en tono despectivo de la formación y riqueza de Gatsby. Su sueño de felicidad—el amor que ella y Gatsby alguna vez compartieron—está destinado al fracaso porque para ella el dinero es lo más importante. Es así como la riqueza se convierte en su prisión. Después del asesinato de Gatsby, al final de la novela, Daisy se recluye en su lujosa y desamorada mansión. Se encierra a sí misma en el capullo de la riqueza y se niega cualquier posibilidad de un futuro brillante, bello, feliz o siquiera deseable. Con la marcada influencia de su esposo Tom, Daisy se convierte en lo que Nick llama una persona "indiferente" que "aplasta a los objetos y a las criaturas para después recluirse en su dinero, dentro de una inmensa indiferencia . . . mientras los demás limpian el desastre que ha ocasionado"(187-188). Tal carencia de valores, enfatizada por su rotunda negativa a enviar siquiera un mensaje o una flor al funeral de Gatsby, viene a demostrar su propia corrupción moral.

A lo largo de la novela, Fitzgerald capta una sociedad que ha corrompido el verdadero significado del sueño americano. La novela representa no sólo la vana persecución de la riqueza y el amor por parte de Wilson, Gatsby y Daisy, sino también la podredumbre moral de los más ricos. Aunque George Wilson no forma parte de la élite de la riqueza, refleja al igual que los demás la total carencia de contenido de su entorno. Si los personajes de El gran Gatsby provinieran de varias clases sociales y representaran la cultura de esta nación en forma generalizada, el tema principal de la novela sería que durante los años veinte ningún habitante de los Estados Unidos estaba exento de los sueños vacíos y la desolación económica, espiritual o moral.

Cita

Elaboración del significado

CONCLUSIÓN
Explicación del significado
Nueva declaración de la tesis

Elaboración del significado de la tesis

Final definitivo

Leer un artículo histórico

¿Podría alguien cuestionar lo apropiado del elegante Jefferson Memorial (el monumento a Thomas Jefferson) o el poderoso Monumento de Washington? ¿Por qué la gente se opuso a un Monumento a los veteranos de Vietnam o a la representación de Franklin D. Roosevelt en su monumento? Los investigadores de la historia, como la autora del siguiente artículo, indagan a fondo en varias fuentes para dar respuesta a este tipo de preguntas; pueden entrevistar personas, leer documentos o consultar Internet. Después conjuntan las evidencias y sacan conclusiones sobre sus hallazgos. Mientras lees el siguiente artículo, pon atención en dónde y cómo el autor ha llevado a cabo su indagación.

Preparación para la lectura

Sacar conclusiones   Una **conclusión** es una decisión, un juicio, que haces acerca de una idea o tema en un texto. Al combinar información del texto con la información que ya conoces sacas conclusiones. De hecho, la mayoría de los escritores confían en que los lectores sacarán conclusiones o completarán la información ellos mismos. (Sólo imagina qué molesto sería leer un artículo en el que *todo* fuese expuesto de manera escrupulosa). Mientras lees el artículo que se inicia en la página opuesta, trata de recordar tu conocimiento acerca de la historia americana. También detente de vez en cuando a preguntarte "¿qué es lo que esto significa?" y "¿qué es lo que sé que me ayudará a clarificar estas ideas?"

> DESTREZA
> DE LECTURA

Fuentes primaria y secundaria   Usualmente, las fuentes de información pueden dividirse en dos categorías— *primaria y secundaria.* Una **fuente primaria** es información de primera mano, como una carta, un discurso o un documento histórico. Una **fuente secundaria** proporciona información indirecta que ha sido al menos una vez desviada de la fuente original. Ejemplos fuentes secundarias incluyen una

> ENFOQUE
> DE LA LECTURA

biografía o un artículo de revista, enciclopedia o sitio Web. Las fuentes primarias son el corazón de las investigaciones históricas pero las fuentes secundarias también son útiles. Mientras lees el siguiente artículo, pon atención en cómo la autora utiliza los dos tipos de fuentes para destacar las controversias acerca de la construcción de monumentos nacionales.

El estilo del siguiente artículo es informal, es decir, no siempre se basa en documentación o presenta una lista detallada de fuentes de referencia. Sin embargo, la autora incluye los datos y detalles específicos que son importantes para la investigación histórica. Mientras leas, anota tus respuestas a las preguntas de lectura activa.

Tomado del Smithsonian

Hasta nuestros más queridos monumentos tuvieron que pasar la prueba por fuego

Por Andrea Gabor

Controversias como las que se arremolinan alrededor del FDR Memorial (el monumento a Franklin Delano Roosevelt) son la norma cuando los americanos tratan de ponerse de acuerdo en cualquier cosa que se funda en bronce.

FDR no hubiera querido un monumento en su honor. ¿Y quién lo cularía por pensar así? Él mismo observó con consternación, durante la Gran Depresión y la Segunda Guerra Mundial, las batallas sobre la construcción del monumento a Jefferson. Hoy en día, el edificio circular abovedado, que se yergue junto a la cuenca del Capitolio[1] parece ser la representación de la República misma. En aquel entonces, fue la mecha que encendió las críticas, y cuando parecía que nunca sería construido, Franklin Roosevelt intervino personalmente.

Casi medio siglo después, surge el turno de Roosevelt para ser honrado. A nadie le sorprende que el monumento a FDR . . . culmine una controversia de varias décadas, no sólo por la lucha en contra de la construcción del monumento a Jefferson, sino también la de otros tantos monumentos y esculturas públicas, de diferente tamaño e importancia.

> **1.** ¿Cuáles son dos maneras en las cuales se relaciona Franklin Roosevelt con las controversias acerca de los monumentos?

La controversia ha sido tan integral al arte público en Estados Unidos como el bronce y el mármol. En el siglo diecinueve, los políticos y críticos de arte dieron forma a su reverencia de innumerables maneras, desde el ahora venerable monumento a Washington, hasta los inocuos leones a la entrada de la Biblioteca Pública de la Ciudad de Nueva York. De hecho, los juicios han sido prácticamente una parte del rito de construcción de los monumentos americanos más queridos. "Nunca se ha erigido un monumento que no haya sido objeto de críticas", lamentó el representante John Boylan ante el Congreso en 1937, mientras participaba en la lucha por la edificación del monumento a Jefferson. Sesenta años después, Bert Kubli, quien hasta su retiro en 1995 dirigió la sección Art in Public Places (arte en lugares públicos) como parte de la Dotación Nacional para las Artes, comentó: "Si nadie se

---

1. cuenca del Capitolio: la represa entre el río Potomac y el canal de Washington, en Washington, D.C.

opone, ¿para qué hacerlo? El proceso y debate son parte importante del arte en sí".

Desde luego, los americanos no son los únicos en establecer controversias en torno a los monumentos. Incluso la Torre Eiffel fue calificada como una estructura fea cuando se construyó. Sin embargo, los debates suelen convertirse en duras batallas sobre los valores y hasta la "definición de lo que representa ser americano", escribe Harriet Senie, co-editora con Sally Webster de la publicación *Critical Issues in Public Art* (Temas de crítica sobre el arte público).

Una de las razones de esta larga historia de acrimonía[2] es que, en muchos aspectos, la edificación de monumentos está en contra de las bases democráticas y puritanas en que se cimienta los Estados Unidos. En los primeros años de la República, muchos americanos veían a las esculturas públicas como una extravagancia. Aunque siempre han existido diferencias de opinión en la elección de una identidad, casi todos compartimos un claro descontento con los viejos órdenes sociales y religiosos que suelen representarse en las esculturas clásicas. Finalmente, el costo y los factores políticos que implican la construcción de un monumento con frecuencia han conducido a los defensores de un proyecto en particular a asumir poderes casi autócratas[3].

> **2.** ¿Qué razones da la autora para explicar la historia de las controversias sobre el arte público?

La lucha en torno al monumento a Jefferson hizo surgir toda una serie de objeciones eclécticas[4], desde las críticas de arte, hasta las objeciones de los ambientalistas. El diseño de John Russell Pope, inspirado por el Panteón, fue ridiculizado como "una imitación clásica . . . [que] inmortalizaba la pompa y pretensiones contra las que el mismo Jefferson siempre luchó". Joseph Hudnut, decano de la facultad de diseño de la Universidad de Harvard, comenta: "Cuando este monumento se complete, presentará una imagen tan grotesca de Jefferson, que, si se me permite decirlo, lo ridiculizará por siempre".

Mientras esto sucedía, el debate en el Congreso había degenerado en lo que el representante Boylan llamó "una confrontación definitiva" sobre la destrucción de los cerezos alrededor de la cuenca del Capitolio, lugar donde se planeaba la construcción del monumento. En 1937, durante una larga y enardecida defensa de los árboles, el representante Allen Treadway proclamó en la Casa Blanca: "Quiero dejar bien claro que todos queremos proteger la cuenca del Capitolio y los cerezos, y lo haremos por medio de una legislación, si eso es posible". Para contraatacar, Boylan contestó: "Ni un solo cerezo será molestado".

En la primavera de 1938, después de varios años de debate improductivo en el Congreso, un hastiado FDR aprobó el sitio y una versión modificada del diseño además de otorgar un presupuesto de 500,000 dólares para iniciar la construcción. Sin embargo, la primera dama no compartía este

---

2. acrimonía: expresarse de manera agria y ruda.

3. autócrata: a la manera de un dictador, con poder absoluto.

4. ecléctico: recopilación de varios tipos de métodos o materiales.

entusiasmo. En lo que ciertamente fue un acto de desafío, la edición de abril del *Reader's Digest* publicó una oda[5] a los árboles, escrita por Eleanor Roosevelt, en la que se incluyen las siguientes líneas: "Espero que ni el hacha ni el agua los dañe". Los árboles se convirtieron en una causa célebre[6] y algunas personas llegaron al extremo de encadenarse a sus troncos en señal de protesta. Cuando se inició la construcción, el Servicio de Parques Nacionales se dio a la tarea de remover los árboles durante la noche; poco después, 150 de ellos fueron destruidos o reubicados.

> **3.** ¿Qué información ilustra la controversia acerca del monumento a Jefferson? Además del *Reader's Digest*, ¿qué otras fuentes pudo haber citado la escritora?

Aunque fue feroz, la batalla sobre el Monumento de Jefferson fue innocuo en comparación con la batalla anterior sobre el Monumento de Washington, que duró cien años. Como observó el historiador de arte Kirk Savage, el esfuerzo para construir un monumento nacional a Washington se hizo "el empeño más problemático en la campaña" de desarrollar una identidad nacional. No sería fácil adivinar eso hoy en día; un fuste de piedra de 555 pies de altura se ha convertido en uno de los símbolos más reconocidos de la nación.

Cuando un monumento al primer presidente se incluyó en los planes de Pierre L'Enfant[7] para la construcción de la nueva capital en 1791, Washington mismo se opuso. Consideraba que los fondos del gobierno no deberían usarse en un proyecto como ése. El problema se complicó más aún debido a la concepción original del monumento, una estatua ecuestre de Washington envuelto en una túnica romana, con un bastón de mando[8] en su mano derecha. Para muchos americanos, el diseño hacía gala de monarquía y ostentación, algo inapropiado para un hombre que siempre fue el ejemplo del ciudadano republicano.

Después de la muerte de Washington, las líneas de batalla se endurecieron. La propuesta de creación de una estatua recibió el apoyo de los federalistas[9], quienes estaban a favor de la construcción de un monumento de grandes proporciones, pero también recibió la oposición de los republicanos[10], quienes cuestionaron el hecho de conmemorar a un solo héroe. La lucha continuó con el paso de las décadas. En 1833 una sociedad privada que apoyaba la edificación de un monumento se fundó con la finalidad de recaudar donativos económicos y bloques de mármol de organizaciones e individuos. Quince años después se colocó la piedra angular en el sitio que ocupa el monumento hoy en día. La sociedad decidió construir un monumento de grandes proporciones, como era de esperarse, diseñado por Robert Mills; un

---

5. **oda:** canción o poema de alegría, agradecimiento o alabanza.

6. **causa célebre:** controversia famosa.

7. **Pierre L'Enfant (1754–1825):** ingeniero y arquitecto francés que planeó y diseñó Washington, D.C., después de participar en la Revolución Americana.

8. **bastón de mando:** especie de vara usada como símbolo de autoridad.

9. **federalistas:** un partido político de los Estados Unidos (1789–1816) que favorecía a un fuerte gobierno centralizado.

10. **republicanos:** personas que creían que el poder del gobierno debería recaer en el voto de los ciudadanos.

obelisco[11] que emerge de un templo griego, un peristilo rodeando una vasta rotunda con cabida para diversas estatuas y murales de héroes revoluciona- rios. La decisión fue construir el obelisco primero y para 1854 la estructura se erguía a 152 pies de altura. Sin embargo, ese año el curso de la construcción tuvo que detenerse por com- pleto cuando el Papa Pío IX donó un bloque de már- mol para el monumento. Al objetar esta "donación papista", miembros del partido americano contra la intervención extranjera y el catolicismo, conocidos como los Know-Nothings o "Sabelonada" (*Smithsonian*, noviembre de 1996), atacaron el sitio del monumento, robaron la piedra donada por el Papa, y según las versiones más comunes, la arrojaron al río Potomac. Al año si- guiente, un grupo de esta misma organización irrumpió en las oficinas de la sociedad y decomisó sus registros. El proyecto entró en una etapa de caos total y con el advenimiento de la Guerra Civil, la obra se detuvo por completo.

> **4.** ¿Cómo muestra la autora que la contro- versia era "más leve" que la del Jefferson Memorial?

El desafío político continuó por un cuarto de siglo, con lo cual se aplicó una importante censura a la joven nación. A principios de la década de 1870, y en las proximidades de la conmemoración del centenario de la independencia de la nación, el Congreso se enfocó de nuevo en el tema del obelisco inconcluso. Algunos se mostraron a favor de destruirlo y comenzar- lo de nuevo, opción que fue complementada con un sinnúmero de propues- tas de diseño, desde torres de estilo gótico inglés hasta románico, hasta una estructura similar a un templo hindú.

La finalización del monumento en 1884, y su diseño final, se debió en gran parte a la tenacidad del teniente coronel Thomas Casey, de la agru- pación de ingenieros del ejército. Mientras el Congreso disputaba entre sí, Casey, quien había sido nombrado supervisor de la construcción, dibujó una nueva serie de planos basados en la construcción terminada. Él imaginaba una maravilla tecnológica, equipada con iluminación eléctrica y un elevador: un obelisco sin mayores adornos que sería la obra de albañilería más alta del mundo. De alguna manera, este héroe no reconocido convenció a la comisión encargada del proyecto de no incluir la ornamentación planeada original- mente para la base, y lo más sorprendente, que le permitieran a él terminar la construcción. Un recuerdo permanente de la interrupción del proceso de construcción es el cambio del patrón de las piezas de mármol—ya que no se encontraron piezas que coincidieran con el patrón original. . . .

Como regla general, podemos decir que el debate siempre entorpece los procesos de construcción de monumentos, en especial los de Washington, D.C., donde la "obstrucción como debate" se considera como una forma ele- vada de arte. Una notable excepción, el monumento que ha generado las opiniones más apasionadas en los últimos tiempos—el monumento a los ve- teranos de la guerra de Vietnam—se construyó en mucho menos tiempo que los demás en toda la historia de la ciudad. El fondo para la construcción del monumento para los veteranos de Vietnam, fundado por el veterano Jan

---

11. obelisco: pilar alto, esbelto, de cuatro lados que muestra una forma piramidal en su parte más alta.

Scruggs en mayo de 1979, atrajo la atención de algunos importantes patrocinadores, incluido un grupo de veteranos de la guerra de Vietnam, egresados de la Academia de West Point que se sumó a la ayuda de varios senadores clave del Congreso. La fundación organizó una competencia en la que un grupo de expertos en arte y arquitectura elegieron al azar entre 1,400 solicitudes recibidas. El diseño ganador, de Maya Lin, un muro de granito pulido de color negro con la inscripción de los nombres de los soldados que murieron en Vietnam, fue apaleado[12] por la censura al ser calificado como una "cuchillada negra". . . . Los miembros del grupo del jurado también fueron excoriados[13] por el autor Tom Wolfe, quien los calificó de "mulás"[14] del modernismo, responsables de la selección de este "enorme pozo" como monumento. . . . Así inició un círculo vicioso de debate, un argumento que parecía desatar años de una rabia contenida por la percepción que había sobre el legado de la Guerra de Vietnam. No obstante, sólo se

> **5.** ¿Qué tipos de evidencia usa la autora para mostrar los dos lados del conflicto del Monumento a los veteranos de Vietnam?

necesitaron 3 años y medio desde el inicio de la recaudación de fondos hasta la culminación de la obra en 1982. En 1984, un grupo de tres soldados esculpidos por Frederick Hart, encargado para apaciguar[15] a todos aquellos que solicitaban un monumento representativo, hicieron una guardia frente al muro de Maya Lin, como si leyeran los nombres grabados en él. Hoy en día, el monumento a los veteranos de la Guerra de Vietnam es el más visitado en todo el país. Según Bert Kubli y otros expertos en arte público, el monumento a los veteranos de Vietnam se benefició con el debate que trató de impedir su construcción. Ningún otro monumento en Estados Unidos representa con tanta claridad "el producto final de un proceso largo, emocionante y democrático, al estilo americano".

> **6.** ¿Por qué Bert Kubli llama "democrático" al proceso de creación de un monumento?

Con la culminación del monumento a FDR, los constructores consideran que otra espectacular ronda de controversias ha llegado a su fin. Desde la presentación de los planos de construcción en 1940, este monumento ha sido la chispa que ha encendido una gran cantidad de debates. Los críticos centraron su atención en el tamaño del monumento (cubre alrededor de 7 acres y medio) y en su costo (unos 50 millones de dólares). En vista de que se ha desvanecido de nuestra memoria buena parte de los efectos de la Depresión y la Segunda Guerra Mundial, hay quienes se preguntan si FDR merecía un tributo tan prominente. El diseño del monumento también fue tema de acaloradas discusiones. Dos planes modernistas de la década de los sesenta—uno de ellos ridiculizado como el "Stonehenge instantáneo" y otro igualmente abstracto y poco popular, diseñado por Marcel Breuer—fueron inmediatamente desechados. Finalmente, en la década de los setenta, el diseño más tradicional del arquitecto Lawrence Halprin, establecido en San

---

12. **apaleado:** severamente regañado o denunciado.

13. **excoriados:** denunciado con dureza.

14. **mulás:** título de respeto para los hombres cultos, usado aquí con ironía.

15. **apaciguar:** calmar o tranquilizar.

Francisco (*Smithsonian*, diciembre 1988), fue aprobado por la venerable Comisión de Bellas Artes de Washington, la cual supervisa la creación de monumentos y edificaciones públicas en la capital de la nación. Halprin diseñó una serie de habitaciones al exterior, llenas de esculturas figurativas creadas por Robert Graham, Neil Estern, George Segal, Tom Hardy y Leonard Baskin.

Sin embargo, el aclamado plan de Halprin no resultó inmune a las críticas de algunos políticos con intereses particulares. . . . En otra disputa, los defensores de las personas menos válidas alegan que ninguna de las esculturas muestra a Roosevelt en silla de ruedas, como se ve en su juventud, luego de sufrir un ataque de polio. La escultura de nueve pies de Neil Estern, por ejemplo, muestra a Roosevelt sentado, envuelto en una capa. Estern dice que más que ocultar el defecto de Roosevelt, la escultura lo plasma con sutileza; la arruga del pantalón, encima de la rodilla hace patente el muslo marchitado de Roosevelt. En un bajorrelieve, el presidente se muestra sentado en un automóvil. Curtis Roosevelt, el mayor de los nietos de Franklin Roosevelt, defiende el rechazo de los diseñadores a crear una escultura de su abuelo en silla de ruedas, ya que considera que eso iría en contra de los deseos de su abuelo. "Ni siquiera cuando era niño pensé en preguntarle acerca de su parálisis". . . .

Lawrence Halprin dice que el diseño tenía que ser no un objeto, sino una experiencia relacionada con el tiempo; quería rendir tributo a la manera en que Roosevelt "enfrentaba los retos . . . y hallaba las soluciones". Desde esta perspectiva, Halprin tuvo éxito, sin duda; las rústicas habitaciones de la cuenca del Capitolio, son en realidad un tributo en movimiento a Roosevelt. Al igual que George Washington, Roosevelt nunca deseó esta manifestación. Cuatro años antes de su muerte, Roosevelt le dijo a Felix Frankfurter de la Corte Suprema de Justicia que se conformaría con un monumento del tamaño de su escritorio. "Me gustaría que fuera simple y sin adornos", le dijo a Frankfurter. "Basta que tenga la inscripción 'En memoria de . . .'"

> **7.** ¿Cuál hubiera sido la opinión de FDR acerca del monumento diseñado en su honor? Explica tu respuesta.

EL HUERTO QUE HIZO HISTORIA

El elevado y seco Valle Owens se extiende a lo largo de las colinas de la Sierra Nevada del este de California. Los pocos poblados de esta zona son pequeños y están separados por grandes distancias. La enorme ciudad de Los Ángeles, California, es un largo camino al sur. En este remoto valle, en un poblado llamado Manzanar, se desarrolló un increíble capítulo de la historia de Estados Unidos.

1. ¿Qué sugiere este párrafo sobre el Valle Owens y Manzanar?

INSTRUCCIONES
Escribe las respuestas a las preguntas en el espacio indicado.

Un pueblo se desvanece en el desierto

Hasta 1920, el río Owens corría por el Valle Owens, lo cual proporcionaba a las granjas, huertos y poblados el agua necesaria. Manzanar, un lugar cuyo nombre significa "huerto de manzanos" en español, era uno de esos poblados. Un antiguo habitante del pueblo recuerda a Manzanar como una típica comunidad rural, con "una tienda de abarrotes, un taller mecánico y una empacadora donde procesaban frutas; había muchos árboles frutales". . . .

2. ¿Qué te dice esta cita de un testigo acerca de la investigación que se hizo para este artículo?

A finales de los años treinta, Manzanar casi había desaparecido. El Departamento de Agua y Electricidad de Los Ángeles había comprado los derechos sobre el agua de todo el Valle Owens. Un acueducto recién construido permitía llevar el agua del Río Owens a los depósitos de la ciudad de Los Ángeles. La agricultura era una actividad que ya no se practicaba en la región. Los huertos se secaron y las personas abandonaron el lugar. El valle se convirtió en la zona desértica que es hoy en día. Sólo algunos manzanos y perales se mantuvieron firmes en el polvoriento terreno donde una vez se estableciera el poblado de Manzanar.

3. ¿Por qué desapareció el poblado de Manzanar?

Manzanar cumple un triste propósito

Manzanar inició una nueva vida en 1942. Japón había lanzado un ataque sorpresa a la Marina de los Estados Unidos, en Pearl Harbor, Hawaii, el 7 de diciembre de 1941. Este brutal ataque provocó el ingreso de los Estados Unidos a la Segunda Guerra Mundial. Por toda la nación surgieron sentimientos hostiles hacia los habitantes de origen japonés. Los encabezados de los diarios anunciaban la "Amenaza de espías japoneses", aunque no existían evidencias que apoyaran esta declaración. El gobierno de los Estados Unidos buscó la manera de enfrentar esta supuesta amenaza. La solución consistió en crear campos de internamiento donde los estadounidenses de origen japonés permanecerían recluidos hasta el final de la guerra. El ejército de los Estados Unidos construyó diez de estos campamentos en diferentes puntos de la nación. El primero de ellos—una milla cuadrada de barracas de lámina de cartón embetunado—se estableció en Manzanar. Este campo se conocía con el nombre de Manzanar Relocation Center (centro de reubicación Manzanar).

> **4.** ¿Qué razones se dan aquí para la creación de los campos de internamiento?

Miles de familias inocentes de origen japonés que vivían en los Estados Unidos fueron obligadas a dejar sus hogares para ser trasladadas a Manzanar, donde vivieron de 1942 a 1945—diez mil personas en total. Dos terceras partes del total eran ciudadanos estadounidenses. Por

> **5.** Según este párrafo, ¿cómo describirías la actitud del escritor hacia Manzanar?

primera y única vez en la historia de la nación, el gobierno dio a los asuntos de guerra mayor importancia que a los derechos de los ciudadanos. A la vista de las torres de vigilancia de Manzanar, los niños asistían a la escuela, los bebés nacían y los enfermos eran atendidos en hospitales improvisados. Quienes murieron están aún sepultados en el cementerio de Manzanar.

Una ex residente del campamento, Jeanne Wakatsuki Houston, escribió un libro acerca de sus experiencias, titulado *Farewell to Manzanar* (Adiós a Manzanar). Houston tenía apenas siete años cuando su familia llegó a Manzanar en 1942. Ella recuerda un puñado de perales como una de las pocas cosas buenas que había en el campamento. Los árboles "sobresalen en mis recuerdos . . .", escribe. "Por las noches, el viento, al pasar por el follaje, sonaba como las olas en la playa de Ocean Park, y mientras dejaba volar mis

> **6.** ¿Por qué incluye el escritor la cita de *Farewell to Manzanar*?

pensamientos a la hora de dormir, casi podía imaginar que aún vivía junto a la playa".

Un error colosal

Al terminar la guerra en 1945, los americanos de origen japonés fueron liberados de los campamentos. Aunque muchos de sus hogares habían sido vendidos o destruidos, ellos trataron de regresar y reconstruir su vida anterior. Las barracas de Manzanar fueron derribadas y sólo quedaron algunos cimientos de concreto, el cementerio, restos de alambre de púas y un edificio vacío. Los reporteros no publicaron casi nada sobre los campamentos y los sobrevivientes rara

> **7.** ¿Qué conclusión puedes sacar al saber que los periódicos no publicaron datos sobre los campos al final de la guerra?

vez hablaban de sus experiencias, en parte porque se sentían avergonzados y en parte porque deseaban olvidar. Muchos americanos nacidos después de la guerra nunca se enteraron de la existencia de estos campamentos.

Sin embargo, la Japanese American Citizens League (Liga de ciudadanos americanos de origen japonés) trabajó con gran paciencia para rectificar lo que el *New York Times* recientemente llamó *"uno de los más grandes errores constitucionales"*. El error estaba en vías de ser reconocido. En 1973, la Liga recibió autorización para colocar una pequeña placa conmemorativa en Manzanar. Esta placa, junto con la señal que muestra la ubicación del cementerio, son las únicas claves de aquel error que marcó tantas vidas de manera permanente.

> **8.** En este párrafo y el siguiente, ¿qué dice el escritor acerca del reconocimiento del gobierno del internamiento de los japoneses?

En 1988, los abogados de la liga lograron que el gobierno de los Estados Unidos ofreciera una disculpa pública a las personas internadas en los campamentos. En 1992, el gobierno, a solicitud de los supervivientes de los campos de internamiento, declaró a Manzanar sitio histórico nacional. El campamento de este desierto sirve como monumento conmemorativo a todas aquellas personas que permanecieron recluidas durante la Segunda Guerra Mundial. El Servicio de parques nacionales, responsable del sitio, no cuenta con los recursos para crear un sitio de visita por el momento, pero un resuelto profesor del Valle Owens realiza desde 1997 una serie de recorridos guiados entre las ruinas.

Mientras tanto, los planes para crear un sitio histórico en Manzanar siguen en marcha. Partes del campamento serán reconstruidos y un autobús realizará recorridos guiados. El edificio que aún se mantiene en pie será convertido en centro de visitantes y museo del sitio. Existe la esperanza de que este lugar conmemorativo eduque a las futuras generaciones al enfocar su luz sobre uno de los capítulos más oscuros en la historia de los Estados Unidos.

¿QUÉ APRENDEREMOS?

En este taller escribirás un escrito formal acerca de un tema histórico. Aprenderás a:

- desarrollar un tema de investigación
- evaluar tus fuentes de información
- registrar y organizar la información
- revisar la variedad de oraciones
- puntuar las citas correctamente

Escribir una composición de investigación histórica

Un estudiante investiga la historia de la música de blues para descubrir las raíces del estilo con el que puede tocar su canción favorita con la guitarra. Un científico de salud pública estudia las condiciones en una comunidad para descubrir por qué tanta gente ha contraído una terrible enfermedad en los últimos diez años. Un atleta lesionado busca información acerca de cómo los atletas de la antigua Grecia curaban las lesiones similares. En todos estos casos, las personas usaron la investigación histórica para dar respuesta a las preguntas que les intrigaron.

La **investigación histórica** es una investigación en la que se explora la vida de figuras históricas o se buscan las conexiones entre los sucesos del pasado y las preocupaciones actuales. ¿Qué temas te interesan? Por ejemplo, puedes preguntarte por qué tantos directores de cine toman la película *El Ciudadano Kane (Citizen Kane)* como modelo para sus propias películas o cómo los indios americanos jugaban lacrosse hace trescientos años. En este taller, podrás investigar a fondo un tema—reunir piezas de información histórica en una nueva y significativa manera.

Bellas sorpresas de un saxofón alto:
El lugar de Charlie Parker en la historia del jazz

A mediados de diciembre de 1949, Birdland abrió sus puertas y encendió su letrero de neón, el cual decía "LA ESQUINA MUNDIAL DEL JAZZ". Nombrado en honor de Charlie "Bird" Parker, el nuevo club se localizaba en Broadway, cerca de la famosa calle cincuenta y dos de Harlem, en la ciudad de Nueva York y su interior estaba lleno de jaulas, pájaros exóticos y el vuelo de la improvisación musical del saxofón alto de Charlie Parker (Porter). La misma música bebop de Charlie Parker había llegado directamente de Kansas City a la Gran Manzana.

Ningún otro músico—quizá con la única excepción de la trompeta de Dizzy Gillespie—había ejecutado el bebop como Charlie. Desde que tenía catorce años y participaba en la banda de música de su escuela, Charlie Parker mostró una total dedicación a la música y a la experimentación de diversas armonías y tempos. Aunque practicó y ejecutó una y otra vez, al principio sus resultados no le parecieron satisfactorios. En una experiencia definitiva, Parker recuerda: "Una vez, cuando era un adolescente, tocaba en un club de Kansas y aunque usaba la técnica correcta, traté de ejecutar un doble tempo en 'Body and Soul' . . . todos empezaron a reírse. Cuando llegué a casa, me eché a llorar y no quise volver a tocar durante tres meses" (citado en Hentoff 175). Sin embargo, el doble tempo y las armonías se convirtieron en la especialidad de Charlie Parker. La música bebop resultante de este proceso—nombrada así por su fraseo entrecortado de dos tonos—revolucionaría el jazz con un nuevo sonido y tempo (el "bebop"). Debido a la influencia de Parker, el jazz pasó de ser un tipo de entretenimiento musical controlado por las peticiones del público a una expresión musical determinada por lo que el músico quería tocar—un tipo de música llamado jazz contemporáneo.

Origen del jazz contemporáneo: Renacimiento del Dixieland y el swing

Cuando Charlie Parker nació en Kansas City, en 1920, sólo había dos tipos de jazz: El renacimiento del Dixieland y el swing. El swing era el tipo de música comercial más exitoso en la época (Berendt 16)—"música de fondo para los

(continúa)

Título interesante e informativo

INTRODUCCIÓN
Inicio que capta la atención

Fuente en línea

Fuente indirecta, indicada por la frase "citado en"

Panorama general de la investigación

Declaración de la tesis

CUERPO
Subtítulos presentan secciones importantes

Cita directa como apoyo

(continúa)

romances inocentes de los estudiantes de universidad" (Green 648). El Dixieland también era una forma musical de entretenimiento—una forma simplificada y llena de clichés del jazz que siempre había sido popular (Berendt 18). A diferentes tipos del público les agradaba la familiaridad del Dixieland y la posibilidad de baile que ofrecía el swing.

Aunque las bandas de swing y Dixieland no eran mediocres ni carentes de iniciativa, al ejecutar su música con frecuencia no enfocaban en la improvisación (Giddins 489). En vista de que les importaba más la popularidad del momento y la paga que la creatividad musical, muchos de los músicos que tocaban Dixieland y swing satisfacían el deseo del público con melodías y ritmos que no requerían gran concentración por parte de ellos (Stearns 201). Tocaban música bailable o tonadas familiares cuyo ritmo podía imitarse con el tamborileo de los dedos y tararearse sin dificultad.

Una nueva relación con el público

Para Parker, sin embargo, el jazz se convirtió en un medio de expresión en lugar de ser sólo una forma de entretenimiento; constantemente experimentó en busca de nuevas formas de comunicación musical, con la finalidad de expresar lo que sentía en su interior (Feather 376). Parker no veía a la música como un medio que sólo debía enfocarse en el público, sino como una forma de expresión basada en la intención del músico. "[Su música] enfatizaba la interpretación individual, el solo; y lo hacía de manera existencial, ya que así [él] trataba de acercarse a Dios, a un significado, a un nivel personal, mediante la música" (Braxton 328).

El novelista Ralph Ellison reflejó el hecho de que Parker se esforzara más que cualquier otro jazzista "para escapar del papel del que provee entretenimiento" (888). Como resultado, Parker ejecutaba música "para escuchar", en lugar de música para bailar o música que podía usarse como fondo mientras las personas reían y hablaban. Era música, como alguna vez observó Jean-Paul Sartre, "que habla a la mejor parte [del público], la más ruda, la más libre, la parte que no desea sólo la melodía ni la letra, sino la definición del clímax del momento" (711). Martin Williams observa que para Charlie Parker, este cambio del significado de la música fue esencial en la supervivencia del jazz: "Parecía que Parker decía, "o cambiamos la música o se morirá" (137).

Conclusión del escritor

Resumen del material de la fuente

Paráfrasis del material de la fuente

Idea principal: desarrollada por orden de importancia

Detalles agregados por el escritor entre corchetes

Autor nombrado en el texto

Punto 1: escape del papel de entretenedor

(continúa)

(continúa)

Pero la música no fue el único elemento que Charlie Parker ayudó a cambiar; las presentaciones en escenarios también empezaron a cambiar. Al carecer de tradiciones aceptables que sirvieran como guía, los músicos de bebop en general, y Charlie Parker en particular, estaban determinados a no ser los artistas de variedades de antaño, sonrientes y ansiosos por complacer o simples y acartonados ejecutantes formales de conciertos. De hecho, quienes tocaban bebop casi ignoraban al público. En algunas presentaciones, "incluso se rehusaban a inclinarse ante el aplauso del público" (Williams 149).

Desde luego, Charlie Parker no estableció este cambio en la relación entre los músicos y el público. Los cambios que él hizo en el "lenguaje del jazz" no fueron "imposiciones" conscientes, sino innovaciones que seguían "sus propios impulsos artísticos" (Williams 136). Su expresión musical proviene de las "profundidades de un alma torturada" (Berendt 95), mientras tocaba "una música privada" y "algo más que entretenimiento" (Harrison, "Jazz" 573). El estilo de Parker impulsó al bebop más allá del gusto popular, y como resultado, la popularidad del nuevo jazz creado por Parker no no fue nunca como la popularidad de swing o Dixieland.

A pesar de su insistencia en la expresión de sí mismo, Parker experimentó con diferentes fondos musicales para sus solos, con la esperanza de colocarse entre los grandes de la tradición europea (Fordham 111). Incluyó secciones de cuerdas para dar a su música un aura clásica (Berendt 97; Gammond 445). Incluso consideró—aunque nunca lo llevó a la práctica—"una sesión con cinco o seis maderas de viento, un arpa, un coro y una sección rítmica completa" (citado en Hentoff 191).

En forma independiente de lo que muchos consideran como lapsos temporales en el juicio musical—sus grabaciones con grupos de *doo-wah* son otro ejemplo sobresaliente—Parker era obstinado a lo largo de su carrera en interpretar lo que quería y cómo lo quería, sin tomar en cuenta el respeto o la popularidad. Parker decía que la "música representa la experiencia, pensamientos y sabiduría de una persona. Si no la vives, no saldrá de tu instrumento" (citado en Celebrating Bird). Un círculo de amigos admiraba la intensidad de Parker; el pianista de jazz Hampton Hawes lo oyó tocar en Berg en 1945 y "no

(continúa)

Punto 2: cambio de las presentaciones en escenarios

Transición a un nuevo párrafo

Punto 3: la música como expresión de sí mismo

Autor de varias obras en la Lista de obras citadas

Detalles de apoyo de dos fuentes

Fuente de consulta en video

(continúa)

Fuente de primera mano—ensayo autobiográfico

podía creer lo que [Parker] hacía, es decir, cómo alguien podía bloquear por completo al mundo a su alrededor, para encender un fuego que lo incendiaba y lo alimentaba a la vez" (573).

Sin embargo, el público en general no comprendía que la música de Parker proviniera de su interior. Quienes estaban familiarizados con el Dixieland y el swing no esperaban "experiencia, pensamientos o sabiduría" como parte de un despliegue musical. Orrin Keepnews, el legendario productor de Riverside Records—la marca especializada en jazz que sin embargo tuvo una corta existencia—dice que Parker nunca aprendió a "venderse a sí mismo y a su música. Sólo se paraba en el escenario y tocaba lo que quería" (citado en Berendt 97), por lo que el público, al menos en su mayoría, dejaba de asistir.

Legado musical de Parker: Experimenta el momento

Idea principal: desarrollada en orden lógico

Cuando salió de Kansas en 1938 con destino a Nueva York, Parker le dijo a su primera esposa que quería "ser liberado" para convertirse en un gran músico (<u>Celebrating Bird</u>). En esa libertad, Parker se mantuvo en la búsqueda constante de nuevas formas de expresión musical para traducir "en términos de belleza musical todo lo que había visto y oído" (Feather 376). La expresión era el verdadero significado y fuente de inspiración de su música.

Punto 1: hallar nuevas formas de expresión musical

Cita larga con espacio de sangría

Puntos suspensivos que indican omisiones

> Todo tiene un significado musical para Bird. . . .
> Todo tiene un mensaje musical para él.
> Incluso cuando oía a un perro ladrar, decía que el
> perro hablaba. . . . o una expresión
> en [el rostro de una chica] podía darle una idea
> para ejecutar un solo. (Hentoff 179)

Musicalmente, Parker nunca estuvo quieto. Según Benny Green, este cambio constante es el que determina los factores del jazz verdadero: En su parte medular, el jazz es "en esencia la experiencia musical del momento y que no puede repetirse de la misma forma" (641). Cualquier pasaje en particular era suficientemente bello para que Parker creara una presentación, aunque la siguiente vez lo ejecutara de manera distinta. Nunca repetía algo (Williams 134).

Punto 2: Desarrollo de un estilo de expresión de sí mismo

Bird siempre trataba de improvisar, innovar y experimentar, incluso en escenarios formales. Cuando alguien le pedía que definiera lo que hacía, Parker decía, "sólo es

(continúa)

(continúa)

música . . . trato de tocarla de manera limpia, buscando las notas más bellas" (citado en Levin y Wilson 70). Para él, su música siempre fue lo más importante y el descubrimiento de "bellas sorpresas era la búsqueda constante de Charlie Parker" (Davis 19).

El legado musical de Parker: Contribuciones técnicas

La contribución más importante de Charlie Parker fue elevar el jazz contemporáneo de medio de entretenimiento a una forma artística. Al hacer esto, también hizo enormes contribuciones al campo de la técnica. Sus melodías, armonías y ritmos—que por décadas los músicos han tratado de imitar—dieron una nueva dimensión al jazz.

En términos melódicos, sus poco usuales combinaciones de cuerdas parecen "pasar sobre la superficie de los originales" (Fordham 28). En términos de armonía, Parker se aventuró a ir más allá de las progresiones en los coros. En sus solos, a veces presentaba armonías relacionadas con una parte de la canción, pero diferentes del acompañamiento, lo cual produce un "efecto de múltiples armonías a gran escala" (Harrison, "Rare Bird" 208). En cuanto al ritmo, Parker "cambió la fisonomía del jazz" al tocar las notas de saxofón en doble tempo, en relación con la sección rítmica" (Green 647). Además, enfatizó los "ritmos duros y débiles, así como los intervalos entre ritmos". Según Martin Williams, Parker ha sido el músico con más imaginación en la historia del jazz" (139).

Un impacto perdurable

Para algunos artistas, los tiempos siempre son apropiados para lo que quieren ofrecer. Algunos tienen la intención de ofrecer lo que los tiempos indican. Otros, como Charlie Parker, sacrifican la recepción popular de su música en busca de la expresión artística personal. Parker cambió al jazz—técnica y emocionalmente. Al explorar nuevos territorios, se adelantó al público y se liberó para convertirse en un innovador (Green 647, "bebop"). Al pasar del entretenimiento a la expresión y al colocar a la expresividad musical en primer término, Parker se convirtió en un músico que cambió toda una era.

(continúa)

Punto 3: Siempre en busca de la bella sorpresa de las notas más bellas

Fuente del título

Referencia a la tesis

SUGERENCIA

Un documento de investigación y su lista de *Obras citadas* estan normalmente en doble espacio. Debido al espacio limitado en estas páginas, el Modelo de un escritor está en espacio sencillo. El sitio de Internet de Elementos del lenguaje provee un modelo de un documento de investigación en formato de doble espacio. Para ver el modelo interactivo, ve al sitio **go.hrw.com** y escribe la palabra clave **EOLang 11–26.**

CONCLUSIÓN

Nueva declaración de la tesis

Oración de final definitiva

(continúa)

Obras citadas

"Bebop." <u>Encyclopædia Britannica Online</u> (<u>Enciclopedia Británica en línea</u>). 2006. Encyclopædia Britannica. 5 May 2006. <http://search.eb.com/>.

Berendt, Joachim E. <u>The Jazz Book</u> (<u>El libro de Jazz</u>). Rev. Günther Huesmann. Trans. H. and B. Bredigkeit with Dan Morgenstern and Tim Nevill. New York: Lawrence Hill, 1992.

Braxton, Anthony. "Anthony Braxton." <u>Reading Jazz</u> (<u>Leer el Jazz</u>). Ed. Robert Gottlieb. New York: Pantheon, 1996. 325–335.

<u>Celebrating Bird: The Triumph of Charlie Parker</u> (<u>Celebremos a Bird: el triunfo de Charlie Parker</u>). Dir. Gary Giddins. 1986. DVD. Pioneer Artists, 1999.

Davis, Bob. "Golden Bird" (El pájaro de oro). <u>Down Beat</u> Dec. 1990: 16–19.

Ellison, Ralph. "On Bird, Bird-Watching, and Jazz" (Acerca de Bird, la observación de Bird y el jazz). <u>Reading Jazz</u> (<u>Leer el jazz</u>). Ed. Robert Gottlieb. New York: Pantheon, 1996. 885–892.

Feather, Leonard. <u>The Encyclopedia of Jazz</u> (<u>La enciclopedia del jazz</u>). New York: Bonanza, 1960.

Fordham, John. <u>Jazz.</u> New York: Dorling Kindersley, 1993.

Gammond, Peter. "Charlie Parker". <u>The Oxford Companion to Popular Music</u> (<u>Compañero de Oxford a la música popular</u>). New York: Oxford UP, 1991.

Giddins, Gary. "The Mirror of Swing" (El espejo del swing). <u>Reading Jazz</u> (<u>Leer el jazz</u>). Ed. Robert Gottlieb. New York: Pantheon, 1996. 484–493.

Green, Benny. "Musical Forms and Genres: Jazz" (Formas y géneros musicales: jazz). <u>The New Encyclopedia Britannica: Macropaedia</u>. 15th ed. 1987.

Harrison, Max. "Jazz". <u>The New Grove Dictionary of Music and Musicians</u> (<u>Nuevo diccionario Grove de música y músicos</u>). Ed. Stanley Sadie. Vol. 9. London: Macmillan, 1980. 561–579.

- - -. "A Rare Bird" (Un pájaro raro). <u>The Charlie Parker Companion</u>. Ed. Carl Woideck. New York: Schirmer-Simon, 1998. 204–225.

Hawes, Hampton. "At the Hi-De-Ho". <u>Reading Jazz</u> (<u>Leer el jazz</u>). Ed. Robert Gottlieb. New York: Pantheon, 1996. 573–576.

Hentoff, Nat. <u>Jazz Is</u>. New York: Random, 1974.

Levin, Michael, and John S. Wilson. "No Bop Roots in Jazz: Parker" (Sin raíces del bop en el jazz: Parker). <u>The Charlie Parker Companion</u>. Ed. Carl Woideck. New York: Schirmer-Simon, 1998. 69–79.

Porter, Bob. "Yardbird Suite: The Ultimate Charlie Parker Collection" (Suite para pájaros: lo mejor de Charlie Parker). Online. 23 Feb. 1999. <http://www.rhino.com/features/liners/722601in.htm>

Sartre, Jean-Paul. "Jazz in America" (Jazz en Estados Unidos). <u>Reading Jazz</u> (<u>Leer el jazz</u>). Ed. Robert Gottlieb. New York: Pantheon, 1996. 710–712.

Stearns, Marshall W. <u>The Story of Jazz</u> (<u>La historia del jazz</u>). London: Oxford UP, 1958.

Williams, Martin. <u>The Jazz Tradition</u> (<u>La tradición del jazz</u>). New York: Oxford UP, 1993.

Leer un editorial

Los escritores de editoriales diseñan argumentos para cambiar la opinión, creencias y acciones de las grandes masas. Los editoriales pueden afectar la opinión de lectores comunes, líderes del gobierno y personas en otros campos e incluso de los mismos periodistas, ya que sus reportajes pueden recibir una influencia sutil de los puntos de vista de los editoriales que han publicado antes. Leer editoriales es una de las mejores maneras de elevar tu comprensión de los sucesos actuales, sin perder de vista que se trata de una opinión y no de un hecho. Deberías leer los editoriales siempre de una manera crítica para determinar el punto de vista del escritor y las técnicas de persuasión que usa para tratar de convencerte, así como la validez de las mismas.

¿QUÉ APRENDEREMOS?

En esta sección, leerás un editorial de periódico y aprenderás a:
- identificar el punto de vista del autor y sus prejuicios
- analizar los llamados persuasivos

Preparación para la lectura

Punto de vista/Prejuicios   Ningún ser humano puede ser totalmente objetivo; cada opinión de un escritor acerca de un tema se ve afectada por su **punto de vista**—la manera en que él o ella ve las cosas. No es incorrecto tener un punto de vista acerca de un **tema,** un asunto sobre el que las personas tienen opiniones opuestas. Sin embargo, a veces una manera fuerte, sostenida y emocional de ver las cosas, es decir, un **prejuicio,** puede provocar que el escritor presente una imagen poco justa de un asunto, al omitir elementos que favorecen a otro asunto, utilizar una lógica falsa u oscurecer el tema con lenguaje demasiado apasionado. Reconocer el punto de vista del escritor y sus prejuicios puede ayudarte a evaluar un argumento editorial. Mientras lees el editorial de la siguiente página, trata de determinar el punto de vista del escritor y si éste es tendencioso o imparcial.

DESTREZA DE LECTURA

Llamados persuasivos   Para persuadir, los escritores de editoriales hacen un llamado de distintas maneras. Hacen un llamado al razonamiento mediante el uso de la **lógica**—razones que se basan en evidencias. Hacen un llamado a los sentimientos al escoger palabras **emotivas.** Hacen un llamado a la **ética**—el sentido de lo que es correcto o incorrecto—al

ENFOQUE DE LA LECTURA

tratar de ganar tu confianza. Tu responsabilidad como lector es reconocer el efecto que estos llamados tienen en ti. Asegúrate de no convencerte de algo que vaya en contra de tus juicios. Mientras lees "Limpieza del baloncesto universitario" ("Cleaning Up College Basketball"), busca los elementos que los escritores usan para tratar de convencerte.

En el siguiente editorial, los autores adoptan una opinión acerca de las reformas del baloncesto universitario. ¿Es convincente su punto de vista? Mientras lees, anota tus respuestas a las preguntas de lectura activa.

Extraído del OP-ED del The New York Times, *sábado, 5 de septiembre de 1998*

Limpieza del baloncesto universitario

Por Lee C. Bollinger y Tom Goss

1. Después de leer el título, ¿qué puedes determinar sobre la actitud de los escritores?

ANN ARBOR, Mich.

Jim Delany, comisionado de la liga de Los Diez Grandes, anunció en fecha reciente una propuesta para realizar reformas importantes en el baloncesto varonil de la División I de la N.C.A.A., un deporte que se ha visto involucrado en demasiados escándalos relacionados con el reclutamiento y la conducta de los jugadores. Las reformas no serán bien acogidas por los miembros de la N.C.A.A. y la Asociación Nacional de Baloncesto (NBA)—los cambios dramáticos siempre son difíciles de aceptar—pero hay que adoptar las reformas si vamos a remediar los males que afectan a este deporte.

2. ¿Qué te hace sentir la frase "si vamos a remediar los males que afectan a este deporte" acerca del tema?

Gran parte de los problemas que enfrenta el baloncesto universitario—y en la Universidad de Michigan no somos inmunes a ellos— se debe a las enormes sumas económicas ofrecidas por compañías fabricantes de zapatos y ropa deportivos, dinero que ha cambiado en forma dramática la manera en que las universidades reclutan a los jugadores de secundaria.

3. ¿Cuál es la primera razón que dan los autores como causa de los problemas relacionados con el reclutamiento?

El reclutamiento de los 310 miembros de la División I de la Asociación Nacional de Atletas Universitarios (N.C.A.A.) (la división con más alto nivel competitivo) solía realizarse mediante contacto directo con los entrenadores y padres de los atletas. Sin embargo, los padres y entrenadores han dejado de ser la influencia básica en las decisiones acerca del futuro de estos jóvenes atletas.

Más bien, hoy en día existe una red de campamentos de verano para jugadores de baloncesto, patrocinados por compañías fabricantes de zapatos deportivos, quienes han tomado el control del proceso de reclutamiento. Con la esperanza de atraer la lealtad de los jugadores con mayor potencial, estas compañías gastan más de 5 millones de dólares al año en estos programas. Los jóvenes que participan en este sistema suelen participar en 80 o 100 juegos adicionales a los de la temporada escolar.

Asimismo, entrenadores privados, patrocinados por las mismas compañías, ofrecen apoyo especial a ciertos jugadores, con la finalidad de controlar su acceso al estrellato. Este patrón de conducta se establece a veces desde los colegios intermedios. Los agentes cortejan a los jugadores para ofrecerles productos gratuitos y otros beneficios prohibidos a nivel universitario.

Romper el dominio absoluto de los campamentos de verano

No nos sorprende que cuando los jugadores acostumbrados a este tipo de trato llegan a la universidad, donde deben combinar el deporte con su desarrollo académico, la mayoría enfrenta serias dificultades de adaptación. La propuesta del comisionado de prohibir que los entrenadores de las universidades y sus asistentes realicen su propio reclutamiento de verano podría restar poder a esta maquinaria y hacer que los estudiantes centren su atención en su desarrollo académico y en el sistema de deportes de las escuelas secundarias, que es donde debe estar.

> **4.** ¿Qué es un dominio absoluto? ¿Qué te hace sentir la palabra "dominio absoluto" en este contexto? ¿Cuál crees que sea el propósito de la cita?

Otra tendencia inquietante es la prisa de los jugadores de secundaria y universidad por iniciar una carrera deportiva profesional. Cada vez son más los jóvenes que no centran su atención en su educación, sino en qué rápido pueden llegar a la N.B.A. para recibir salarios millonarios. Desde el primer minuto de su estancia en el campus escolar, su actuación se basa exclusivamente en el interés económico del reclutamiento y los bonos que pueden recibir al firmar un contrato. Los jugadores de baloncesto que logran graduarse apenas suman el 44 por ciento, el porcentaje más bajo de todos los deportes que se practican en la División I.

Muchos jugadores que dejan la escuela después de uno o dos años no logran alcanzar su potencial esperado. No sólo se ven ante el problema de no cumplir sus anhelos deportivos, sino que tampoco satisfacen sus expectativas en la vida. Sin un título universitario que los respalde, estos jugadores tienen menos opciones profesionales en caso de no lograr el éxito en el campo deportivo.

Por ello es necesario realizar dos cambios a las reglas, —ambos parte de la propuesta presentada por el comisionado— con la finalidad de que el baloncesto universitario recupere su enfoque escolar, donde, antes de convertirse en atletas, los jóvenes deben tomar en cuenta el aspecto educativo.

En primer lugar, los estudiantes de primer año no deberían ser elegibles para participar en los juegos de la División I —como sucedía hasta principios de los setenta. Esto los ayudaría a limitar el tiempo que dedican a viajar a los juegos y les daría la oportunidad de concentrarse en sus estudios y en su adaptación a la vida estudiantil.

En segundo lugar, la N.B.A., los propietarios de los equipos y la unión de jugadores profesionales deberían cambiar voluntariamente las formas de reclutamiento. Un jugador que decide asistir a la universidad no debería ser elegible de participar en el baloncesto profesional antes de completar al menos tres años de su carrera académica (como sucede en el béisbol y en el hockey). Si estos jugadores se concentraran en graduarse, la N.B.A. se beneficiaría al recibir jugadores mejor preparados y mucho más maduros.

Los críticos argumentan que estos cambios elevarían el costo de administración del programa de baloncesto de la División I. Sin embargo, el costo adicional no debe impedirnos hacer lo correcto. En nuestras manos se encuentra el futuro de miles de jóvenes cuyo bienestar debe ser la máxima prioridad.

> **5.** ¿Cómo te afecta tu imagen de los autores y tu opinión acerca del asunto la frase "hacer lo correcto"?

> **6.** ¿Por qué es importante conocer las credenciales de los autores?

Lee C. Bollinger es presidente de la Universidad de Michigan y Tom Goss es director de actividades atléticas.

FRANKENCOMIDA

Un editorial

Todos conocemos la historia del peligroso monstruo creado por un científico loco en su laboratorio. Sin embargo, ¿sabías que los científicos en los laboratorios actuales realizan experimentos similares que pueden hacer peligrosos los alimentos que comemos? Así es. Quizá ahora mismo comes los resultados de sus experimentos. ¡Ten cuidado con la "Frankencomida"!

> **1.** Después de leer el primer párrafo, ¿puedes decir si el escritor está a favor o en contra de la Frankencomida?

Muchos de los alimentos que se venden actualmente en los supermercados son resultado de la ingeniería genética. En este proceso, los científicos toman un gen de un ser vivo y experimentan para crear un nuevo gen. Luego hacen copias de estos genes y los injertan en otras plantas o animales. Los Estados Unidos encabeza la producción de alimentos con base en la manipulación genética. Más del 35 por ciento del maíz y alrededor del 55 por ciento de la soya que consumimos pueden clasificarse como Frankencomida. Estos dos tipos de cultivos se encuentran en todo tipo de alimentos procesados. Los comes en las tostadas hechas con tortilla, en los panecillos de maíz, en las tortillas y en las hamburguesas "vegetarianas". Incluso los bebés beben soya en sus fórmulas.

> **2.** ¿Qué datos sobre los alimentos producidos mediante la ingeniería genética se dan en este párrafo?

Si no conocías estos hechos, quizá se debe a que la mayoría de las compañías tratan de ocultarlos al público. El gobierno de los Estados Unidos no ha actuado con presteza para obligar a los fabricantes de alimentos procesados a incluir en las etiquetas información para el consumidor sobre los posibles efectos negativos de la manipulación genética en los alimentos. Además, la mayor parte de los consumidores no reconocen la Frankencomida que se exhibe en los anaqueles de los supermercados. Los consumidores tenemos el derecho de saber qué contienen los alimentos que comemos —en especial nuestros hijos. Es evidente que no debemos ingerir alimentos procesados mediante la manipulación genética si no conocemos los efectos a largo plazo.

> **3.** ¿Qué oración de este parrafo indica de manera directa la opinión del escritor sobre la Frankencomida?

Según los productores de alimentos, los científicos no han encontrado evidencia que la Frankencomida no sea apta para el consumo. Por otro lado, existen muy pocas evidencias que estos productos sí son aptos. La Administración de Alimentos y Medicamentos no realiza pruebas con alimentos producidos mediante la ingeniería genética. Sólo se limita a preguntarles a los productores de alimentos si han analizado los productos por sí mismos.

A algunos científicos les preocupa que los alimentos que contienen ingredientes producidos mediante la manipulación genética sean peligrosos para las personas que tienen alergias a ciertos alimentos. Además, temen que alterar los genes produzca alimentos con menor valor nutritivo y mayor cantidad de tóxicos naturales. Actualmente es bien sabido que una forma de maíz producido mediante la alteración genética produce un tipo de polen que es fatal para las mariposas monarca. Sin embargo, y en vista de que los efectos a largo plazo para los humanos aún se desconocen, ¿por qué correr el riesgo?

> **4.** ¿Qué te hace sentir la información de este párrafo sobre el tema?

Las industrias químicas dicen que la ingeniería genética mejora los cultivos de varias maneras. Los vegetales crecen más rápido, saben mejor, permanecen frescos por más tiempo y son más resistentes al ataque de los insectos. A pesar de estos beneficios, aún es demasiado pronto para conocer los riesgos que implica la manipulación de la naturaleza. Como observó un científico, si se injerta un nuevo gen en un grupo de genes, existe la posibilidad de arruinar el funcionamiento de la estructura.

> **5.** ¿Cómo apoya la opinión del escritor esta observación científica?

Los fabricantes de alimentos y las compañías químicas se benefician con la manipulación genética porque obtienen mayores ganancias. No existe ninguna agencia objetiva dedicada a comprobar que los productos de estas compañías son aptos para el consumo. Eso significa que somos obligados a participar en los experimentos, aunque no queramos. Ha llegado el momento de que estas compañías piensen dos veces lo que hacen.

> **6.** ¿Por qué el escritor menciona las ganancias que obtienen estas compañías con los alimentos producidos mediante la ingeniería biogenética?

Debemos ejercer nuestros derechos como consumidores y rechazar los productos elaborados mediante la manipulación genética hasta contar con evidencias que demuestren que son aptos para nuestro consumo. Decide por ti mismo si quieres ser parte de la experimentación con la Frankencomida. Cuando vayas al supermercado, pregúntate: ¿Puedo ingerir la Frankencomida con tranquilidad? Toma una decisión inteligente y saludable, la que por ahora sólo es la palabra ¡no!

> **7.** En este artículo, ¿te convenció el escritor de que no compraras la Frankencomida?

Escribir un editorial

¿QUÉ APRENDEREMOS?

En este taller escribirás un editorial. También aprenderás a:

■ enfocarte en un asunto

■ reunir apoyo para escribir de manera persuasiva

■ evitar las falacias de lógica

■ reconocer los eufemismos

■ corregir las referencias de pronombres inexactos

El consejo de la ciudad ha aceptado una ley que establece el toque de queda para los adolescentes. Las personas menores de dieciocho años serán desalojadas de los lugares públicos después de las 10:00 de la noche entre semana y a las 11:00 de la noche los fines de semana. Quienes violen esta ley serán multados e incluso encarcelados. Algunos de tus amigos apoyan el toque de queda; otros se oponen. Sin embargo, ni tú ni tus amigos tienen edad suficiente para opinar. ¿Cómo puedes ser escuchado? Una manera de dar a conocer tu opinión es escribir un *editorial* que pueda publicarse en el periódico de tu escuela o en el periódico de tu comunidad. Un **editorial** es un artículo creado o aprobado por un editor acerca de la opinión de un escritor. En un editorial, tratas de *persuadir* a los lectores para que apoyen tu opinión —y que realicen ciertas acciones. Para alcanzar tu objetivo, debes apoyar de manera convincente tu posición y confrontar los argumentos opuestos. En este taller aprenderás a crear un editorial convincente y bien fundamentado acerca de un tema significativo para ti, como el futuro del planeta o el baile de graduación, por ejemplo.

Modelo de un escritor

Cancelen el toque de queda

Esta semana, el consejo estudiantil de la escuela secundaria Riverdale tuvo que cancelar su torneo anual de boliche de recaudación de fondos —no por falta de interés, medios económicos o participantes. El consejo se vio en la necesidad de cancelar el torneo de beneficencia porque su realización habría violado la ley.

Inicio que capta la atención

La nueva ley del consejo de la ciudad de Riverdale entró en efecto el verano pasado en un intento por disminuir el evidente ascenso de la criminalidad de los adolescentes. Con la nueva ley, cualquier joven menor de dieciocho años encontrado en un lugar público después de las 10:00 de la noche en días de semana y después de las 11:00 de la noche los fines de semana, es sujeto a recibir una sanción económica e incluso a ser encarcelado. Aunque es evidente que deben aplicarse acciones contra el crimen, esta medida representa una medida exagerada y poco prudente por parte de las autoridades a petición de un grupo de comerciantes influyentes. Es evidente que la ley del toque de queda es injusta e innecesaria, por lo que debe ser rechazada.

Información de fondo

Llamado a las emociones

Declaración de opinión

Una de las razones más importantes para rechazar la medida es que una ley así no puede por sí misma disminuir la tasa de criminalidad. La mayoría de los crímenes no son cometidos por adolescentes, un hecho apoyado por un reciente informe del departamento de policía de Riverdale, el cual indica que los adolescentes sólo cometen alrededor del 11 por ciento de los crímenes. De los crímenes cometidos por adolescentes, y según datos presentados por el doctor Theodore Chang en su estudio "Criminales infantiles", la mayoría ocurre entre las 4:00 de la tarde y las 9:00 de la noche, es decir, <u>antes</u> del toque de queda. Si el toque de queda fue impuesto para reducir la criminalidad de los adolescentes, las autoridades se equivocaron al asignar el horario.

Segunda razón más importante

Evidencia/Hechos y opiniones de un experto

Llamado a la lógica

Otra razón para rechazar el toque de queda es que la policía de la comunidad no desea apoyarlo. Diane

Razón más débil

(continúa)

(continúa)

McCasland, jefa de policía en Riverdale, admite que "en lugar de que el toque de queda resuelva la situación, sólo provocará que los oficiales a su cargo pierdan el tiempo en su aplicación". Una reciente encuesta demostró que muy pocos oficiales de policía apoyan la medida. Sólo el 5 por ciento de ellos aprobó la nueva ley. Cuando les preguntamos qué medida adoptarían para reducir la criminalidad, el 93 por ciento de los oficiales respondieron que la ciudad necesitaba contar con más oficiales y equipo. En otras palabras, el departamento de policía ya está demasiado ocupado con la aplicación de las leyes existentes. Crear una ley nueva e innecesaria sólo gastaría aún más los escasos recursos del departamento.

Aunque en otras ciudades de la región se ha aplicado el toque de queda en los últimos doce meses, poco ha sido el éxito obtenido. Según el artículo "Evaluación de la nueva ley del toque de queda", publicado el 1 de octubre en la Gaceta de Riverdale, la aplicación de esta ley en el poblado vecino de Hillview no ha reducido la criminalidad, además de que en los poblados de Springdale y Morgan, la tasa de criminalidad incluso se incrementó en el mismo lapso. En Taylor, la ineficacia de esta ley ha provocado las protestas de los residentes, quienes la consideran como una violación de los derechos constitucionales de los adolescentes.

Pero el argumento más fuerte en contra de la aprobación del toque de queda es que no considera las actividades escolares nocturnas. Es cierto que en Riverdale los adolescentes no deben realizar actividades a altas horas de la noche. Sin embargo, también hay algunas excepciones, como los equipos de deportes que regresan a casa después de algún juego programado por la noche, los clubes escolares que asisten a competencias y festivales e incluso actividades de beneficencia como el torneo anual de boliche organizado por la escuela secundaria Riverdale para recaudar fondos. Como estudiante de último año y presidente del consejo estudiantil, he participado en la organización de tres eventos de este tipo, en los que hemos recaudado

(continúa)

(continúa)

alrededor de $17.000 que fueron donados a varias organizaciones de caridad. Como miembro del grupo escolar de debates, yo mismo he regresado a las instalaciones de la escuela después de la hora del toque de queda. ¿Eso me convierte en un criminal? Lo seré cuando permanecer en un lugar público a altas horas de la noche sea considerado un crimen. ¿Debemos cancelar todas las actividades escolares nocturnas? Desde luego que no. El precio sería demasiado elevado y los resultados demasiado pobres.

Es cierto que el toque de queda de alguna manera puede reducir el vandalismo; sin embargo, sería mejor que las autoridades ofrecieran alternativas para combatir el crimen en nuestra comunidad. Por ejemplo, podría construirse un centro recreativo donde los adolescentes pudieran reunirse después de clases, practicar deportes, usar equipo de computación o aprender nuevos pasatiempos. Este centro podría funcionar hasta las 10:00 de la noche—en las horas de máxima criminalidad juvenil. Se podría solicitar a los comercios la donación de equipo, suministros y la labor de sus empleados como voluntarios. Además, si el centro operara en comunicación directa con el departamento de policía de Riverdale, el centro se convertiría en un enfoque constructivo para evitar la supuesta criminalidad adolescente.

Aun si la aplicación del toque de queda resistiera una objeción legal, es evidente que se trata de una medida innecesaria y mal enfocada que desperdiciaría el tiempo y la energía del departamento de policía. Por eso te pedimos que te comuniques con tu representante local para solicitar el rechazo de la medida y la creación de una solución alternativa, como el centro recreativo. La criminalidad no es culpa de un solo grupo, pero sí es algo que unidos podemos combatir.

Llamado a las emociones y a la ética

Conceder un punto
Refutación

Explicación

Nueva declaración de la tesis

Llamado a la acción

Llamado a las emociones

Leer una crítica de un libro

odos necesitamos un consejo de vez en cuando. Esto incluye consejos como el siguiente libro que debes leer. Escoger entre los miles de libros que hay en una biblioteca o en los estantes de una librería puede ser tan abrumador como hacer un viaje largo en automóvil sin consultar un mapa. Ésta es una de las razones por la que las críticas de libros son tan populares —las críticas son una especie de mapa, con información que ayuda a los lectores a navegar por los estantes. Parte de la información muestra la opinión del crítico sobre la calidad del libro; otra parte presenta los detalles sobre el contenido. En conjunto, estas piezas permiten a los lectores seleccionar un libro que concuerde con sus intereses. En la crítica siguiente, encontrarás la opinión de un crítico acerca del libro *Volcanes: crisoles del cambio (Volcanoes: Crucibles of Change)*, así como muchos hechos interesantes y anécdotas sobre los volcanes.

¿QUÉ APRENDEREMOS?

En esta sección, leerás una crítica de un libro. También aprenderás a:

- **distinguir los hechos de las opiniones**
- **identificar los criterios de evaluación para un libro de no ficción**

Preparación para la lectura

DESTREZA DE LECTURA

Distinguir los hechos de las opiniones   La crítica de un libro consta de la *opinión* del crítico y de un conjunto de *hechos* que le permiten apoyar su punto de vista. Como lector, tienes la libertad de debatir, considerar y compartir o no la opinión del crítico, ya que una **opinión** es un juicio de valor o creencia personal que *no puede* comprobarse mediante evidencias como algo verdadero o falso. Por otra parte, tampoco puedes coincidir o no con los datos presentados por el crítico, ya que los **hechos** son datos o declaraciones que *pueden* ser comprobadas mediante información concreta. Mientras lees, trata de reconocer las opiniones establecidas de manera directa e indirecta, así como los hechos que las apoyan.

Criterios de evaluación ¿Qué hace que un libro o un CD sea bueno o malo? Los críticos profesionales no basan sus opiniones en sus preferencias personales. Basan sus opiniones en ciertos **criterios de evaluación**—cualidades necesarias en un producto para ser sujeto de recomendación. Desde luego, no todo puede juzgarse con el mismo conjunto de criterios. De los zapatos de tenis a los estéreos, cada objeto posee ciertas normas de calidad.

Mientras lees la crítica a continuación, trata de imaginar los criterios que el crítico pudo haber usado para evaluar el libro *Volcanes: crisoles del cambio (Volcanoes: Crucibles of Change).*

Mientras lees la siguiente reseña, trata de determinar cuál es la opinión del reseñista del libro. ¿Recomienda el libro esta persona? Haz anotaciones acerca de la información que incluyó el reseñista y pregúntate por qué eligió esos datos en particular. Mientras lees, anota tus respuestas a las preguntas de lectura activa.

Tomado de *Revisión de libros* del
The New York Times

Un tema candente

Por William J. Broad

Muchos científicos consideran que hemos entrado a una nueva era del oscurantismo. El presupuesto para las ciencias se ha reducido. El mercado de trabajo está sombrío y hasta los investigadores más calificados reciben una paga ridícula si consideramos sus habilidades. La comprensión de las ciencias por parte del público parece ser una frase contradictoria[1] virtual. Y hay poca esperanza de mejoría. Hace una década más de cien periódicos incluían secciones de ciencias; hoy en día sólo quedan treinta de ellos. Neal F. Lane, director del National Science Foundation (la Fundación Nacional de Ciencias), el principal patrocinador de proyectos científicos por parte del gobierno federal, hizo un llamado a los científicos para luchar contra el decaimiento. "Hablen y declaren, pero háganlo con claridad", fue su comentario de motivación. "No daremos un buen servicio a la comunidad de investigadores ni al público en general si no aclaramos la importancia de las ciencias y la tecnología en la vida de las personas".

> **1.** ¿Por qué crees que el crítico empieza con información de fondo? ¿Qué crees que significan las frases "hablen y declaren, pero háganlo con claridad"?

Pocos temas se prestarían mejor a este objetivo que los volcanes—uno de los desplegados de furia más espectaculares de la naturaleza y objetos de no poca fascinación del público, sean sus historias creíbles o no lo sean. Considera la película *Volcano* (Volcán), cuando cunde el pánico en la ciudad de Los Angeles a causa de una erupción que cubre los cielos.

Por fortuna, un equipo de geólogos ha creado un libro colorido, explicativo y bien ilustrado que no sólo revela las maravillas de las rocas en incandescencia y su constante reacomodo debajo de la superficie de la tierra, sino que también ofrece una diestra explicación según Lane, de "la importancia de las ciencias y la tecnología en nuestras vidas". Más importante aún, *Volcanoes: Crucibles of Change* (Volcanes: crisoles[2] del cambio) es un libro divertido. Sus autores —Richard V. Fisher, de la Universidad de California en Santa Bárbara, Grant Heiken de la Universidad de New Mexico, y Jeffrey B. Hulen de la

> **2.** ¿Crees que el crítico expresa una opinión positiva o negativa acerca del libro? ¿Qué razones presenta?

---

1. **frase contradictoria:** figura retórica en la que se combinan ideas y términos opuestos y contradictorios.

2. **crisoles:** recipientes que resisten altas temperaturas.

Universidad de Utah— nos conducen en una "montaña rusa" a lo largo de varios siglos de emociones volcánicas y mantienen nuestra atención en los fuegos pirotécnicos, al tiempo que nos proporcionan suficiente información científica para aumentar nuestra sorpresa. Y las partes científicas, que bien podrían convertirse en elementos esotéricos[3], son explicados con claridad mediante reveladoras fotografías e ilustraciones.

El enfoque del libro es la manera en que los volcanes afectan la vida de las personas. Al final nos damos cuenta de que las erupciones volcánicas no sólo provocan destrucción. De hecho, son fuerzas profundamente creativas que permiten que la tierra sea habitable y que actúan como fábricas que participan en la producción y transporte de oro, diamantes, fósiles y docenas de elementos fundamentales en el desarrollo de la civilización —sin mencionar la arena sanitaria para gatos. "Empresarios, tomen nota", comentan los escritores. La arcilla volcánica que se vende como material absorbente para los desechos de estas mascotas "genera muy buenas ganancias".

El libro inicia con un contraste impresionante. Recuenta la historia de la erupción del Monte Pelée, en la isla Martinica, en 1902, el cual produjo residuos que acabaron con la vida de 29,000 personas —la erupción más devastadora de siglo XX. Después pasa al caso del Monte Santa Elena en 1980, cuya erupción sólo reportó 35 víctimas mortales. La ciencia salva vidas, explican los autores con sutil detalle. Los monitores de la actividad volcánica, predicciones y sistemas de alerta permiten evacuar zonas enteras antes de que se produzca la erupción. De manera escrupulosa, los autores también muestran que en algunos casos hubiera sido posible salvar más vidas si no fuera por la incertidumbre de los expertos y la indiferencia de las autoridades. Las barricadas fueron removidas repetidamente debido a las presiones de los poblados y los taladores forestales.

3. ¿Qué palabras específicas de este párrafo indican que el crítico muestra una opinión positiva o negativa? Explica tu respuesta.

En una oda[4] a las ciencias básicas —las que persiguen el conocimiento fundamental por el simple hecho de adquirirlo, sin una visión clara de cómo puede aplicarse— los autores demuestran cómo varias décadas de estudios sobre la tierra han mejorado la manera de pronosticar las erupciones mediante la revelación de la actividad volcánica. En esta parte, las erupciones del Monte Pelée y el Monte Santa Elena se muestran como los últimos actos de un drama que "inició hace millones de años", cuando la corteza oceánica chocó con las placas de la corteza terrestre y fue empujada hacia el candente interior de la tierra, donde se fundió antes de emerger en forma de erupción.

4. ¿Cómo demuestra este ejemplo el concepto del crítico de una "oda a la ciencia básica"?

Los volcanes matan y mutilan de maneras espantosas. Aprendí cómo los científicos, quienes solían pensar que los residuos volcánicos siempre emergían en forma de erupciones, descubrieron cómo violentos huracanes de corrientes de gas a altas temperaturas, rocas y cenizas forman remolinos que

3. **esotérico:** que sólo puede ser comprendido por unos cuantos.
4. **oda:** canción de alabanza.

se mueven lateralmente y destruyen lo que encuentran a su paso. En 1991, un derrame de este tipo descendió por la cuesta del Monte Unzen en Japón y mató a 40 periodistas y dos vulcanólogos franceses (por lo general, un vulcanólogo muere cada año en cumplimiento de su labor.) "Tuve un presentimiento terrible y decidí alejarme de la zona", recuerda un presciente[5] experto que visitó el sitio el día anterior al desastre.

Las historias de los testigos presenciales dan una interesante visión de cercanía al libro. Un turista entrelazado con cámaras, comenta: "Es como dar un vistazo al infierno", mientras los helicópteros de turistas "avanzaban y retrocedían en el cielo" por encima de un volcán hawaiano. Es como escribió Goethe[6] en su aventura casi fatal en las colinas del Vesubio, en 1787: "Tratamos de avanzar una docena de pasos, pero el suelo bajo nuestros pies se calentaba cada vez más y el remolino de nubes de humo negro que ocultaba al sol por completo estaba a punto de sofocarnos". En 1983, un par de atrevidos científicos rusos lanzaron algunas piedras al río de lava y con gran cautela navegaron estos barcos provisionales a lo largo de más de una milla para estudiar las rocas incandescentes. "Teníamos que balancearnos en un pie como hacen las garzas para enfriar nuestros calientes pies". Al final del libro se incluye un recorrido guiado para aquellos interesados en tener sus propias aventuras volcánicas.

> **5.** ¿Por qué crees que el crítico incluyó en particular estos extractos del libro?

La mejor parte del libro se enfoca en los beneficios de las erupciones volcánicas. Éstas no sólo producen la arena sanitaria para gatos, sino también concreto volcánico (usado por los antiguos constructores de caminos romanos con un éxito asombroso), compuestos abrasivos para pastas dentales, los materiales usados en los diques holandeses para mantenerse a salvo de las aguas del Mar del Norte, los materiales usados en las tradicionales calles empedradas, escalpelos quirúrgicos con cuchilla de obsidiana usados en la cirugía de los ojos, depósitos de oro, piedras preciosas y regiones de suelo increíblemente rico en minerales que son el secreto de los mejores vinos y el mejor café. Incluso los paleontólogos reciben ciertos beneficios: con frecuencia, algunas rocas y suelos ricos en fósiles (incluidos los fósiles humanos) se deben a erupciones volcánicas que arrasaron y preservaron en masa a poblados enteros.

Alan Hale —uno de los descubridores del cometa Hale-Bopp y astrónomo desempleado con dos hijos que depende en buena medida de los ingresos de su esposa, una enfermera registrada— denunció en fecha reciente la actitud de muchas personas en Estados Unidos, quienes obstaculizan el camino de las ciencias, por lo que se vio en la necesidad de desanimar a los estudiantes que desean seguir carreras relacionadas con este campo, "a menos que cambie de manera drás-

> **6.** ¿Por qué crees que el crítico usa esta información real sobre Alan Hale?

---

5. **presciente:** que sabe de antemano.
6. **Goethe:** Johann Wolfgang von Goethe (1749–1832), escritor alemán de libros de viajes, novelas, poemas y del drama *Fausto*.

tica el enfoque de las ciencias en nuestra sociedad". Los autores de este libro pueden enorgullecerse de haber escrito una obra estimulante y accesible que puede servir como inspiración para realizar los cambios necesarios.

> **7.** En la conclusión, ¿qué razón repite el autor sobre su opinión? ¿Por qué crees que la repite?

William J. Broad es reportero de ciencias para *The New York Times* y autor de *El universo debajo de nosotros: Descubriendo los secretos de las profundidades del mar (The Universe Below: Discovering the Secrets of the Deep Sea).*

UNA VOZ EN EL YERMO:
NUNCA GRITES ¡LOBO!

INSTRUCCIONES
Escribe las respuestas a las preguntas en el espacio indicado.

Todos hemos oído las historias del Gran Lobo Malo que trata de engullir a Caperucita Roja o a los Tres Cerditos. Desde hace mucho tiempo, los lobos tienen una reputación de maldad. Es por esa razón que hace alrededor de cuarenta años un joven biólogo canadiense se sorprendió con sus hallazgos al hacer una investigación acerca de estas temidas criaturas.

1. ¿Qué quiere decir el escritor con la frase "reputación de maldad"?

Farley Mowat estudió a los lobos durante dos años en el Ártico canadiense. Al cabo de su estudio, llegó a la conclusión de que la reputación de los lobos como asesinos brutales no tiene fundamento. Para convencer a las personas de esto, Mowat escribió una historia que se ha convertido en un clásico del género de no ficción: *Never Cry Wolf* (nunca grites ¡lobo!). Hábil narrador, Mowat usa destellos de humor para presentar sus observaciones sobre los lobos. *Never Cry Wolf* logra entretener a los lectores con historias verídicas y divertidas sobre las experiencias del autor durante su estancia en el Ártico, al tiempo que presenta datos que desafían las antiguas creencias y mitos que calificaban a los lobos como bestias salvajes, sedientas de sangre.

2. ¿Qué estándares se usan para juzgar el libro? ¿Cuál parece ser la opinión del crítico?

La historia de Mowat inicia con el empleo que le ofrece el gobierno de Canadá. Las manadas de caribúes en Canadá se habían reducido de manera significativa y los supervisores de la fauna silvestre asumían que los lobos eran la causa de este problema. El gobierno había hecho planes para exterminar las manadas de lobos y salvar al caribú, pero antes de hacerlo, era necesario realizar un estudio científico que justificara su plan. Ellos contratan a Mowat para llevar a cabo el estudio. Mowat es llevado junto con su enorme pila de suministros al círculo ártico. Una vez ahí, Mowat es dejado solo en medio de la desértica tundra.

3. ¿Por qué el gobierno canadiense envió a Mowat al Ártico?

Así inician los contratiempos de Mowat. Su humorístico estilo de escritura mantiene a los lectores en una risa constante al enterarse de sus innumerables errores. Mowat contrata como guía a un trampero llamado Mike, pero por accidente lo ahuyenta al mostrarle los horribles instrumentos que lleva consigo para realizar las autopsias de los lobos.

Pronto, los datos que Mowat descubre sobre los lobos y los caribúes empiezan a aclarar la situación. Así demuestra que la desaparición de los caribúes no es ocasionada por los lobos, sino

4. ¿Cómo apoyan la opinión del crítico los datos de este párrafo y el siguiente?

por las personas. Los cazadores de pieles han matado grandes cantidades de caribúes y han usado la carne para alimentar a los perros que tiran de sus trineos. Mowat describe el terreno donde se localiza el campamento de estos cazadores con la frase "tapizado de huesos de caribú".

Mowat descubre que, en efecto, los lobos matan muy pocos caribúes, lo cual no esperaba el gobierno canadiense. De hecho, casi todos los lobos que observa se alimentan principalmente de ratones y sólo cazan a los caribúes lastimados o casi muertos de hambre. En vista de que una manada de lobos necesita casi todo un día para cazar un caribú, es poco probable que los cacen en grandes cantidades. Después, Mowat se lleva una sorpresa aún mayor: los lobos no tienden a atacar a los humanos. Un ejemplo de esto ocurre cuando Mowat entra a gatas a una madriguera donde se ocultan una madre lobo y sus cachorros. Ninguno de ellos—ni siquiera la madre—lo ataca.

Mowat se convenció de que las ideas equivocadas acerca de los lobos impulsaban la especie hacia la extinción y llama a *Never Cry Wolf* "una petición de comprensión y preservación". Diez años después de la publicación del libro, Mowat se da cuenta de que "casi todos los hechos presentados en el libro han sido comprobados por las ciencias desde entonces". Y agrega: "Por desgracia, mi tesis más importante—la declaración de que los lobos no representan una amenaza para la fauna silvestre o para el hombre—aún no ha sido aceptada del todo".

> **5. ¿Por qué crees que el crítico incluye declaraciones del propio Mowat sobre el libro?**

El libro de Mowat, pionero en su campo, tiene ahora una segunda oportunidad de cumplir su propósito original. Los lobos han desaparecido en varias partes del mundo. Los expertos en la fauna silvestre han tratado de volver a introducir esta especie en el occidente de los Estados Unidos, aunque sus esfuerzos han provocado muchos de los conflictos y miedos de antaño. De hecho, no todos los residentes de estos lugares se muestran gustosos de recibir a los supuestos predadores como sus nuevos vecinos. Quizá pudieran cambiar de opinión al leer el libro de Mowat. *Never Cry Wolf*, con su mezcla de datos interesantes, humor, calidad de narración y objetividad, bien podría ayudar a resolver este antiguo conflicto y brindar un mejor futuro a estos pacíficos y amistosos animales.

> **6. En el último párrafo, el crítico repite las razones en que basa su opinión. ¿Cuáles son?**

Escribir una crítica de libro

"¿Has leído algún buen libro ultimamente?" Quizá ya has escuchado esta pregunta. Tal vez tu primera respuesta fue una **opinión:** "¡Pienso que *Hacerse humo (Into Thin Air)*, de Jon Krakauer, es genial!" Quizá también diste **razones** para apoyar tu opinión: "Las descripciones de su ascenso al Monte Everest son tan coloridas que casi puedes sentir el viento helado en tu rostro". Conforme hablabas, tu propósito era convencer a alguien más de leer el libro.

En este taller de escritura harás esto una vez más—usarás tus destrezas de evaluación y persuasión para escribir la reseña de un libro. Además, tu reseña puede crear una especie de mini-lección sobre la materia que el libro explora. Esto sucede especialmente en las reseñas de libros de no ficción. Sucede cuando el crítico, en su afán por recomendar la lectura de un libro, incluye fragmentos de información tomados del libro, como anécdotas ilustrativas y hechos interesantes. El resultado final, la reseña de un libro de no ficción, será algo que podrás publicar y compartir con tus compañeros de clase, amigos o la comunidad. Considéralo como la respuesta escrita a la pregunta "¿Has leído algún buen libro últimamente?"

¿QUÉ APRENDEREMOS?

En este taller escribirás la crítica de un libro de no ficción. También aprenderás a:

- usar criterios para hacer una evaluación
- reunir evidencias del texto como elementos de apoyo
- reconocer las generalizaciones precipitadas
- usar la puntuación correcta en las citas

Modelo de un escritor

Meriwether Lewis: Retrato de un explorador

INTRODUCCIÓN

Inicio que capta la atención

Información de fondo y resumen

Declaración de opinión (tesis)

CUERPO
Primera razón

Evidencia: ejemplo

Antes de iniciar su expedición histórica, Meriwether Lewis sabía menos del territorio que estaba a punto de explorar que Neil Armstrong sobre la Luna. Aun así, en 1803 él y William Clark iniciaron su recorrido por el continente americano acompañados de un pequeño grupo de hombres, un bote plegable de hierro, las primitivas armas que se usaban en la época y algunos alimentos deshidratados, como 193 libras de sopa para preparar sobre la marcha. Al salir de Saint Louis, los exploradores sabían que no contaban con mapas ni medios de comunicación con el mundo que habían dejado atrás. Sin embargo, Lewis estaba ansioso por realizar el viaje. En su libro *Undaunted Courage* (Valor indomable), el cual toma su nombre de la descripción que hace Thomas Jefferson de Lewis, Stephen Ambrose (él mismo un conocido historiador y veterano de muchos viajes de exploración) narra con gran habilidad y colorido cada paso del viaje de Lewis y Clark.

Una de las cualidades del libro es que, a diferencia de otros libros sobre la expedición de Lewis y Clark, Ambrose presenta los sucesos desde el punto de vista de Meriwether Lewis y no de Clark. Los frecuentes fragmentos extraídos del diario de Lewis crean una imagen compleja del explorador. Uno de ellos, el del 18 de junio de 1806, muestra a un divertido y testarudo Lewis que describe a un hongo negruzco morel que acababa de comerse como " . . . una comida verdaderamente insípida y carente de sabor". De hecho, *Undaunted Courage* es en buena parte la biografía de Lewis tanto como la historia de su expedición, con capítulos que muestran pasajes de la juventud y llegada de Lewis a la mayoría de edad, pero también de su vida después del viaje. El uso por parte de Ambrose de materiales recién descubiertos (algunos exclusivos de este libro) por y acerca de Lewis, aumenta en buena medida el valor

(continúa)

(continúa)

de este libro. Las fotografías de las páginas del diario de Lewis dan vida al hombre al mostrar sus bocetos de animales, rodeados de descripciones hechas con gran detalle. El afecto y admiración de Ambrose por Lewis (a quien se refiere como un padre a los otros hombres) se expresa a lo largo del libro, aunque quizá de manera más elocuente en la siguiente cita: "Te lleva con él a lo largo de su día y te permite ver con sus propios ojos; lo que vio, ningún americano lo había visto antes y pocos lo verían en el futuro".

Evidencia: ejemplos

Aunque *Undaunted Courage* relata una historia conocida, lo hace de tal manera que ofrece un panorama diferente y una perspectiva más fresca. Un ejemplo de esto son las vívidas y sensibles descripciones que hace el autor sobre las interacciones entre los exploradores y los nativos de estos territorios. Aunque ésta no es de ninguna manera una historia enfocada en el punto de vista de los nativos, Ambrose capta su perspectiva con gran sensibilidad y reconoce el daño que han sufrido a causa de los exploradores y colonizadores. Por ejemplo, califica de "vergonzoso" el discurso que Lewis ofrece a los indios Otos en agosto de 1804, porque se da cuenta que representa una mezcla de amenazas y coerción. Luego, al describir el encuentro de Lewis con los Sioux Yankton, durante el cual el explorador presenta un discurso similar y distribuye banderas americanos como "regalos", Ambrose dice, "Nunca se le ocurrió que estas acciones podrían calificarse como actos de superioridad, de dictadura, de carácter ridículo e incluso altamente peligrosos". El papel de los indios en el éxito de la expedición, en particular el de la guía Sacagawea, también es ampliamente reconocido. En varias partes del libro se menciona su ayuda, como la ocasión en que el bote de los exploradores estuvo a punto de voltearse y Lewis la alabó por sus acciones. Ella "atrapó y preservó casi todos los artículos ligeros que cayeron al agua". En conjunto, el libro ofrece un trato de mayor respeto hacia los indios que muchos otros libros anteriores sobre el tema.

Segunda razón

Evidencia: ejemplo

Evidencia: cita

Evidencia: cita

(continúa)

(continúa)

Tercera razón

Este libro no toma libertades con los hechos con la finalidad de mantener la frescura de la perspectiva que presenta. *Undaunted Courage* es una obra meticulosamente detallada con información basada en documentos históricos, como los diarios y cartas de Lewis y Clark, así como otras obras serias publicadas con anterioridad. Además, cuando Ambrose inventa algún elemento, lo hace saber al lector. Por ejemplo, en el capítulo nueve, el escritor hace especulaciones sobre el encuentro que sostienen Lewis y Clark antes de iniciar el viaje, pero reconoce lo siguiente: "Por desgracia, no existen registros descriptivos acerca del encuentro de Lewis y Clark". Ambrose se las arregla para apegarse de manera fiel a las historias, sin ser desleal con el suceso histórico.

Evidencia: ejemplo y cita

Cuarta razón

Otra manera en que Ambrose se mantiene fiel a la historia de la expedición es en su enfoque narrativo. En vista de que el libro se organiza en orden cronológico, los títulos de los capítulos nombran las fechas que abarca cada sección. Inicialmente, los capítulos se organizan de acuerdo con los periodos de la vida de Lewis, aunque más tarde se muestran según las etapas de la expedición, como "Sobre la Divisoria Continental, 13 al 31 de agosto de 1805". Pocas son las veces en que Ambrose traiciona el orden de los sucesos al adelantarse en el tiempo. El orden cronológico mantiene el suspenso de la narración y anima al lector a leer cada página, sin excepción.

Evidencia: ejemplo

Quinta razón

Como complemento de la clara organización del libro, debemos mencionar la sinceridad del estilo; muchas oraciones son tan claras y concisas como ésta: "En la mañana del 8 de diciembre, Clark se dispuso a encontrar la mejor ruta hacia el océano y a buscar un lugar para montar un campamento para obtener sal". La nota de pie de esta oración también demuestra el deseo de Ambrose de explicar cualquier término confuso. Así, Ambrose explica con detalle el proceso de abastecimiento de sal: "El método consiste en hervir el agua de mar en grandes peroles hasta

Evidencia: ejemplo y cita

Evidencia: cita

(continúa)

que el líquido se evapora y luego raspar la sal del interior del perol".

El libro es más rico gracias a la gran cantidad de detalles y anécdotas que dan vida a la historia y a los exploradores. Por ejemplo, la curiosidad del joven Lewis se ilustra con la siguiente anécdota: "cuando le dijeron que, a pesar de todo, el Sol no giraba alrededor de la Tierra, Meriwether saltó como un resorte y le preguntó a su maestro: Si la Tierra gira, ¿por qué caí en el mismo lugar?" El libro también contiene detalles divertidos, como el ejemplo que presenta Ambrose acerca de las (veinticinco en total) maneras inventadas de escribir la palabra "mosquito" que se observan en los diarios de Lewis y Clark — "misqutr" y "musquetoe", entre otras. Finalmente, Ambrose incluye una gran cantidad de fragmentos descriptivos extraídos de los diarios que revelan los sentimientos de los exploradores en los momentos históricos. Éste, por ejemplo, tomado del diario de Lewis, describe su impresión al ver por primera vez las Montañas Rocosas: "cuando reflexioné en las dificultades que esta barrera nevada pondrá con toda seguridad en mi camino hacia el Océano Pacífico . . . de alguna manera contrarrestó la gran alegría que sentí cuando la vi".

A diferencia de la caminata que Neil Armstrong realizó en la Luna, el momento en que Lewis y Clark logran su objetivo de cruzar los Estados Unidos para llegar al Océano Pacífico no se ha plasmado en película. Aun así, *Undaunted Courage* nos ofrece una visión tan clara y viva del viaje y la vida de Lewis, que bien podría compararse con cualquier registro visual.

Sexta razón

Evidencia: ejemplo y cita

Evidencia: cita

CONCLUSIÓN

Leer una crítica de publicidad

¿Conoces a alguien en cuya vida no intervenga la publicidad? Te guste o no, tú interactúas con la publicidad todos los días. Y cada quien tiene su opinión acerca de la publicidad: algunas personas hablan de sus anuncios favoritos; otros se quejan de los fondos musicales que los vuelven locos. El artículo de la siguiente página, "Se alquilan bananas" ("Bananas for Rent"), presenta un poderoso argumento acerca de las técnicas de publicidad y su papel en nuestra cultura. Leer el artículo puede ayudarte a aclarar tu opinión sobre la publicidad al considerar otros puntos de vista.

Preparación para la lectura

DESTREZA DE LECTURA

Hacer relaciones Una manera de evaluar lo que afirma un escrito persuasivo es compararlo con tu experiencia personal. El escritor del artículo en la siguiente página afirma fuertemente el impacto negativo de la publicidad en nuestra cultura. Antes de leer el artículo, piensa en tus experiencias con la publicidad. ¿Eres el tipo de persona que baja el volumen de la televisión durante los anuncios o crees que los anuncios son la mejor parte? ¿Qué sucesos de tu vida han influido tu opinión sobre el funcionamiento de la publicidad? Mientras lees el siguiente artículo, determina si lo que alega el autor coincide con tus experiencias.

ENFOQUE DE LA LECTURA

Emociones Una de las técnicas que los escritores usan para convencerte de que aceptes sus opiniones es el uso de las **emociones.** Un escritor puede hacer un llamado a las emociones del lector al usar palabras o imágenes de manera emotiva. Las emociones son muy poderosas, y cuando un argumento se relaciona con ellas, los lectores tienden a ignorar las inconsistencias lógicas y a aceptar el argumento. (Si lo piensas por un minuto, la publicidad hace lo mismo). Mientras lees el artículo de la página siguiente, identifica los lugares donde el escritor usa emociones. Si no estás seguro del significado de una palabra, búscala en un diccionario. Podría ser una palabra cargada de emotividad.

¿Se han convertido los anuncios en nuestra forma de conocimiento cultural? ¿Tenemos que conocer los anuncios más recientes para ser parte importante de la sociedad? El siguiente artículo presenta algunas opiniones enérgicas acerca de los efectos de la publicidad en nuestra cultura. Mientras leas, anota tus respuestas a las preguntas de lectura activa.

Tomado de Zona cultural *en*
The New York Times Magazine

Se alquilan bananas

Primero, el rock and roll, después las estrellas de cine muertas y ahora la fruta —¿hay algo que la publicidad no haya aprovechado[1]?

Por Michiko Kakutani

Son penetrantes como las cucarachas . . . son persuasivos como el clima . . . Adornan nuestra ropa, equipaje, zapatos deportivos y gorros. Están en todas partes en la televisión, no podemos dejar de verlos en las revistas y son definitivamente inevitables en Internet. Se estima que el americano promedio está expuesto a unos 3,000 anuncios comerciales al día, y a aproximadamente 38,000 anuncios de televisión al año.

> **1.** ¿Qué sensaciones asocias con las cucarachas? ¿Por qué crees que se usa esa palabra aquí?

No hace mucho tiempo, solamente los autos de carreras, las estrellas del tenis y los estadios tenían una relación estrecha con los anuncios de publicidad. Hoy en día, hasta los autobuses escolares y los camiones alquilan espacios en su carrocería para mostrar anuncios. Incluso hay poblados enteros que han firmado contratos de exclusividad con marcas como Coca Cola o Pepsi. Hasta personajes muertos como Marilyn Monroe (Canal 5), Gene Kelly (pantalones Gap) y Fred Astaire (aspiradoras Dirt Devil), entre otros, han sido contratados como anunciantes . . . Hemos llegado al grado de colonizar las bananas como espacio de publicidad, con etiquetas que anuncian el lanzamiento en video de *Space Jam* y la famosa frase de los lácteos "Got milk?" (¿Tienes leche?)

> **2.** ¿Por qué la palabra *colonizar* es una palabra más efectiva que *usar*? ¿Qué opinión de la publicidad implica su uso?

Como observa el erudito James Twitchell, la publicidad se ha convertido en "nuestro conocimiento cultural — es lo que sabemos". Twitchell, autor de un libro llamado *Adcult USA* (La cultura de la publicidad en los Estados Unidos) y profesor en la Universidad de Florida, dice que los estudiantes ya no comparten la cultura de la lectura o el estudio de la historia, por ejemplo; lo único que comparten es la cultura de los anuncios. Cuando les hace preguntas al azar acerca de asuntos en *The Dictionary of Cultural Literacy* (El diccionario de conocimiento cultural), dice que se quedan con la mirada en blanco. Pero cuando canta el estribillo de un

---

1. **aprovechado:** hacer uso de algo con propósitos personales.

anuncio popular, los estudiantes "lo reconocen de inmediato con gran regocijo[2]". "Están convencidos de que los anuncios de Benetton tienen una gran profundidad. Para ellos, la publicidad es una gran cultura". . . .

Los estudiantes de universidad decoran sus habitaciones con reproducciones tamaño cartel de los anuncios que vende una compañía llamada Beyond the Wall, establecida hace cuatro años. Olvídense de Monet y Van Gogh. Piensen en Nike, BMW y Calvin Klein. Como dice Brian Gordon, uno de los fundadores de esta compañía, los muchachos consideran los anuncios como una "forma de expresión de sí mismos". En una sociedad como la actual, de tan corta atención", piensa Gordon, los anuncios le dan a la gente algo con que relacionarse. "Proporcionan una visión penetrante de la cultura actual", en treinta segundos o menos.

No hay duda de por qué episodios completos de *Seinfeld* se basan en productos como "Pez" o "Junior Mints". La popularidad de los anuncios antiguos en Nick at Nite, un canal televisvo, los animados estribillos antiguos de Rosie O'Donnell, los semianuncios que realizan en tono de broma cada noche David Letterman y Jay Leno —son testamentos del papel que la publicidad ha adquirido en nuestras vidas. Toda una escuela de ficción conocida como realismo Kmart se ha desarrollado en torno a las marcas comerciales, mientras muchas canciones conocidas . . . satirizan[3] los antiguos anuncios. En el pasado, los publicistas usaban canciones exitosas apropiadas (como "Revolution" de los Beatles) para promover sus productos; hoy en día, las campañas publicitarias, de Volkswagen, por ejemplo, tienen la fuerza necesaria para convertir cualquier canción (incluso una vieja canción como "Da Da Da", del extinto grupo alemán Trio) en todo un éxito.

Entonces, ¿qué significa la imposición de la publicidad en la cultura americana? No sólo se trata de convertir al mundo en un centro de compras desde el hogar. Es que, la manipulación de los medios[4] —que hace de la compraventa el principio y el fin de todas las cosas— ha infectado todas las áreas de la vida, desde la política . . . hasta los programas de televisión como *Entertainment Tonight*, que presenta la publicidad como una forma de comunicación. Lo que sucede en realidad es que la publicidad se ha convertido, en esta era saciada por la información,

> **3.** ¿Qué evidencia presenta la escritora de que los estudiantes en la actualidad no comparten la cultura de la lectura ni el estudio de la historia? ¿Estás de acuerdo con esta declaración? Explica tu respuesta.

> **4.** ¿Crees que la publicidad sea una forma de expresarse a sí mismo? ¿Por qué sí o por qué no?

> **5.** ¿Por qué crees que los anuncios que usan canciones para promover productos suelen ser efectivos?

> **6.** ¿Qué sensaciones asocias con las palabras *infectado, saciada* y *penetrante*? ¿Por qué crees que la escritora usa estas tres palabras?

---

2. **regocijo:** con júbilo, de manera triunfante.

3. **satirizar:** ridiculizar y despreciar.

4. **la manipulación de los medios:** hábito característico (genio) de los medios masivos de comunicación para controlar la percepción del público mediante la presentación de los sucesos desde un punto de vista particular.

en el modus operandi del mundo. "La publicidad es la manera más penetrante de propaganda en la historia de la humanidad", dice el erudito Mark
Crispin Miller. "Se refleja en todas las formas estéticas[5] de la actualidad".

Miller señala que, así como los anuncios se adueñaron de las técnicas que
pertenecían a las películas de vanguardia —las escenas intercaladas[6], los
saltos[7] y las tomas en movimiento[8]— hoy las pelícu-
las y programas de televisión han imitado los anuncios, reemplazando los personajes y la trama con los
más avanzados efectos especiales. Es más, los productores de películas Howard Zieff, Michael Bay,
Adrian Lyne y Simon West, entre otros, empezaron
en publicidad.

> **7.** ¿Cómo crees que las mismas técnicas afectarían a las personas si se presentaran en películas, televisión y anuncios impresos?

Pero la publicidad tiene un efecto aún más
insidioso[9]. Los publicistas que seleccionan espacios en televisión y revistas se
inclinan a seleccionar los medios más compatibles
(y por lo tanto, accesibles o alegres) con sus productos,
en vista de la expectativa del público que ha crecido
en la caja de petri de los anuncios y está siempre
impaciente con cualquier tipos de arte que no sea del
fácil acceso y estética de los anuncios —es decir,
cualquier elemento difícil de captar o ambiguo. "Las
personas se han vuelto menos capaces de tolerar
cualquier expresión de tristeza u oscuridad", dice
Miller. "Creo que en la actualidad eso tiene mucho
que ver con la publicidad, ya que se ha creado
una visión de la vida parecida a la de una salida de
compras".

> **8.** ¿Qué elementos de apoyo usa la escritora para mostrar los efectos dañinos de la publicidad?

> **9.** Explica cómo las parodias de anuncios reales pueden ayudar a combatir la cultura del consumo.

Incluso hay señales esporádicas de ataque a la
publicidad — la Media Foundation (la Fundación de medios de comunicación) de Vancouver usa parodias de los anuncios para luchar contra la cultura del consumo rampante —aunque la implacable[10] publicidad sigue su
marcha como esos monstruos indestructibles de ciencia ficción que además
saca provecho de las técnicas aplicadas en su contra. Así como ha
aprovechado el rock-and-roll, la enajenación (un anuncio de Pontiac muestra
una versión animada de la célebre pintura de Munch[11] *El grito*), las bromas
dadaístas[12] (una campaña publicitaria de Kohler incluyó interpretaciones

---

5. **estético:** de forma o gusto artístico.
6. **intercalar:** en una película, es la presentación alternada de tomas o escenas que sugieren lo contrario.
7. **saltos:** en una película, son cambios abruptos de una toma a otra, sin el uso de una
   forma de transición.
8. **tomas en movimiento:** tomas hechas con una cámara portátil y sin el uso de un
   tripié o cualquier otro dispositivo fijo.
9. **insidioso:** más peligroso de lo que aparenta.
10. **implacable:** sin detenerse y sin consideraciones.
11. **Munch:** Edvard Munch (1863-1944); pintor noruego.
12. **dadaísta:** relacionado con Dada; seguidor de un movimiento artístico que floreció
    entre 1919 y 1922, y cuyos miembros rechazaban los acuerdos establecidos.

de . . . grifos de agua, plasmados por artistas contemporáneos), también saca partido de la ironía, la parodia y la sátira.

El resultado de la habilidad de la publicidad por disfrazarse de medio de entretenimiento y las ganas del mundo del espectáculo de usar los métodos agresivos de la publicidad es la desaparición de la línea que separa el arte y el comercio. Aunque esto nos haga cada vez menos conscientes del objetivo de los publicistas (vendernos más cosas), también nos hace excesivamente cínicos sobre todo lo demás —incluso rechazarla, sin consideración, como basura, frivolidad o manipulación, una muestra más de la enorme maquinaria llamada cultura contemporánea.

LEER AL ESTILO DE LOS RICOS Y FAMOSOS

Caminas por una biblioteca y encuentras a varias celebridades que hacen tu visita más emocionante. Ahí, cerca del mostrador, está el atractivo actor de origen escocés Ewan McGregor. Fiel a su papel como editor de Beatrix Potter en la película *Miss Potter*, sostiene una colección de cuentos de la escritora inglesa en lugar de su espada láser de *Star Wars* (La Guerra de las galaxias). ¡Mira! Detrás de las fotocopiadoras está el bailarín ruso Mikhail Baryshnikov con la gran novela rusa *Crimen y Castigo* como compañera de baile.

> **1.** En el primer párrafo, ¿cuál es la conexión entre cada celebridad y el libro que sostiene?

Estas estrellas son parte de una campaña lanzada por la American Library Association (la Asociación Americana de Bibliotecas). Sus anuncios han aparecido en periódicos y revistas, así como en carteles en bibliotecas y otros lugares. El objetivo de la campaña, como se proclama en los anuncios, es decirle al público "LEE".

> **2.** ¿Cuál es el propósito de la campaña publicitaria y a qué tipo de público trata de persuadir?

El elemento más llamativo de estos anuncios es fácil de reconocer. Todos presentan personalidades atractivas, usualmente hombres (aunque no en todos los casos), famosos por una actividad que no se relaciona con la lectura. McGregor es un actor talentoso que hábilmente interpreta al joven Obi-Wan Kenobi en *Star Wars* (La Guerra de las galaxias) en los episodios I, II, y III. Por su parte, Baryshnikov es considerado por muchos como el mejor bailarín de ballet del mundo. Estas estrellas atraen tanto a públicos jóvenes como adultos. Tienen algo que ofrecer a cada uno, desde fanáticos del ballet y el cine hasta eruditos de la literatura. Cualquiera que recuerda los cuentos de Peter Rabbit de su infancia puede imaginar por qué McGregor nos sonríe al mirarnos desde su libro.

> **3.** En este párrafo, ¿qué evidencia muestra que estos anuncios tienen una gran aceptación?

Cada anuncio de la Asociación Americana de Bibliotecas identifica al personaje famoso y muestra con letras de gran tamaño la palabra "LEE" en inglés. Las celebridades también se identifican a favor de las "bibliotecas en los Estados Unidos" y las "bibliotecas del mundo". Más importante, y debido a que una imagen dice más que mil palabras, las celebridades sostienen los libros como los objetos más preciados. Estas celebridades son muy populares en su actividad, y a pesar de que no las asociamos con la lectura, la lectura es una actividad importante para ellos.

> **4.** ¿Por qué crees que las imágenes de estos anuncios captan la atención de quienes los ven?

El mensaje persuasivo presentado por las palabras e imágenes es más complicado que un simple "lee porque es bueno para ti". Lo que los anuncios realmente quieren decir es que la lectura no sólo es para los bibliotecarios o las personas que tienen una vida aburrida y apacible, sin mucho que hacer. Hasta las personas más glamorosas, admiradas por su belleza y talento, la élite, se da cuenta de la importancia de la lectura. Basta con mirar a la estrella de cine como Mc Gregor. Es una persona muy agradable. Nadie diría que es un ratón de biblioteca. Sin embargo, es evidente que le encanta leer. Quizá de alguna forma la lectura complementa su lugar estelar. Si lees, quizá también te conviertas en una persona rica y famosa. Además puedes divertirte. ¡Hazlo ya!

5. ¿A qué emociones tratan de apelar estos anuncios?

Este mensaje es implícito, no directo. La campaña publicitaria adopta un enfoque de buen gusto y de persuasión sutil. Los anuncios no muestran mensajes pesados que chocan con el observador. Tampoco incluyen sermones o material alarmante. Imagina un enfoque diferente: Fotografías arrogantes que ilustran la idea de que quienes no leen no tienen la menor oportunidad de tener éxito en la escuela o en la vida. Anuncios de este tipo podrían tener un impacto emocional más fuerte que el de las celebridades. Sin embargo, no explicarían de igual manera que la lectura debe ser divertida, agradable y buena para todos.

6. ¿Por qué crees que esta campaña publicitaria adoptó un "enfoque positivo de persuasión sutil" para animar al público a leer?

Con base en sus experiencias, los lectores pueden juzgar por sí mismos la veracidad de estos anuncios. Y es probable que incluso quienes no muestran un gran interés en la lectura recuerden al menos algunos libros que hayan disfrutado. Desde luego, la mayoría de las personas son lo suficientemente sensibles como para darse cuenta que la lectura por sí misma no garantiza el éxito, la obtención de riquezas o la fama. Sin embargo, la lectura sí ayuda a las personas a mejorar su desempeño escolar, lo cual es el primer paso para tener éxito en la vida. Aunque puede que la lectura no transforme al adolescente común en un maestro Jedi, es bueno saber que incluso Obi-Wan Kenobi dedica tiempo para leer un buen libro.

7. ¿Cómo describirías el juicio del escritor acerca del efecto de estos anuncios?

Escribir una evaluación de un anuncio

¿QUÉ APRENDEREMOS?

En este taller escribirás la evaluación de un anuncio de publicidad. También aprenderás a:

- analizar un anuncio de publicidad
- evaluar el razonamiento y la falsa analogía de algunos anuncios
- evaluar y criticar las técnicas persuasivas usadas en los anuncios
- eliminar el uso innecesario del verbo *ser* o *estar*
- corregir las oraciones incompletas

¿Pueden los anuncios de publicidad *obligarte* a comprar un producto o servicio? Algunas personas piensan que sí. Es por ello que los anuncios usan una amplia gama de **técnicas persuasivas.** La mayor parte de la publicidad está diseñada para relacionar un producto o servicio con un conjunto particular de sentimientos —el sentido de ser aceptado, amor, posición social, respeto o poder. Este enfoque es común debido a que la exposición individual al anuncio es muy breve. Un comercial de televisión puede captar de quince a treinta segundos de tu atención y un anuncio impreso puede llegar a tu vista de uno a tres segundos mientras hojeas una revista o un periódico.

No hay duda de que las técnicas persuasivas de la publicidad son bastante eficaces. Pueden elevar tu nivel de atención acerca de un producto o asunto —o cambiar tu opinión por completo. Pueden incluso afectar tu comportamiento al convencerte de llevar a cabo una acción o comprar un producto determinado. En este taller vas a analizar las técnicas persuasivas de un anuncio. Luego, formarás tu propia opinión sobre dicho anuncio y apoyarás tu evaluación.

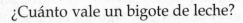

¿Cuánto vale un bigote de leche?

A primera vista, la fotografía de un Patrick Ewing son-riente y en excelentes condiciones físicas y con una pelota de baloncesto en las manos, puede hacernos pensar que es un anuncio para su equipo, los New York Knicks. Sin embargo, el bigote de leche dibujado en su rostro y el eslogan "Leche. ¿Dónde está tu bigote?" revelan que la fotografía de Ewing es en realidad un anuncio de leche. Este anuncio, parte de una campaña planeada a largo plazo con la finalidad de incremen-tar las ventas de leche en el país, fue diseñado para convencer a los adolescentes, universitarios y hombres en general de con-sumir más leche. El cuerpo del anuncio indica que la leche de dos por ciento de grasa repone las substancias nutritivas que un atleta como Patrick Ewing puede perder a través del sudor en un juego de baloncesto. El anuncio también usa el humor para sugerir que la leche mejora el desempeño de Ewing en los juegos. La campaña del anuncio "Leche. ¿Dónde está tu bigote?" comunica de manera eficaz que el consumo de leche contribuye a la formación de una persona saludable, popular y exitosa. Sin embargo, la leche de dos por ciento de grasa no es la más saludable elección para el consumidor.

El anuncio de la leche con Patrick Ewing es eficaz-mente persuasivo porque el eslogan —Leche. ¿Dónde está tu bigote?— se repite muchas veces durante la campaña. La repetición del eslogan —en una multitud de anuncios, pro-mociones cruzadas y productos— ha hecho que cada anun-cio de la campaña sea reconocido y por lo tanto, efectivo. La repetición, una técnica persuasiva usada para saturar de información al público al que se dirige el anuncio, es efecti-va porque la repetición frecuente se graba en la mente de los observadores. El anuncio "Leche. ¿Dónde está tu bi-gote?" donde aparece Patrick Ewing, por ejemplo, ha sido publicado en docenas de revistas, desde publicaciones de negocios y noticias, hasta publicaciones especializadas en los deportes y la salud, lo cual da a los lectores la impresión de que se encuentra en todas partes.

(continúa)

INTRODUCCIÓN

Inicio que capta la atención

Descripción del anuncio

Propósito y estrategia de mercado

Público elegido

Descripción del anuncio

Declaración de la tesis

CUERPO

Primer criterio: repetición

Evidencia de repetición

(continúa)

Cuando la repetición consigue que el público se acostumbre al anuncio, éste se convierte en parte permanente de nuestra cultura. Por ejemplo, algunos adolescentes coleccionan e intercambian los anuncios de la campaña de la leche. El eslogan de este anuncio ha empezado a aparecer no sólo en revistas, sino también en otros productos como camisetas, relojes y un libro que narra el proceso de creación de los anuncios. Además de estos productos promocionales, el eslogan "Leche. ¿Dónde está tu bigote?" aparece en todo tipo de envolturas, desde bocadillos hasta avena. Mediante la repetición, el anuncio que presenta a Patrick Ewing—y la exitosa campaña de la que forma parte—se han convertido en parte de nuestras vidas.

Segundo criterio: asociación

El anuncio de la leche es efectivamente persuasivo porque usa la técnica de la asociación. La asociación implica relacionar el producto anunciado con algo que al público le guste o admire. La asociación permite que el público al cual está dirigida la campaña transfiera sus sentimientos e ideas sobre un elemento determinado al producto que se anuncia. El eslogan "Leche. ¿Dónde está tu bigote?" con Patrick Ewing usa las técnicas persuasivas del testimonio, una causa común y la evidencia "científica" como formas de asociación.

Evidencia de asociación

Un testimonio es una declaración de aprobación dada por una persona famosa. Como portavoz de la leche, Patrick Ewing da a la campaña una imagen saludable y atlética. Su reputación adquirida cuando era jugador de baloncesto hace que los lectores asocien el consumo de la leche con el ser ganadores. El anuncio se aprovecha del deseo de las personas de ser saludables, atléticas y exitosas. En vista de que los adolescentes y en especial los hombres jóvenes desean ser ganadores como Patrick Ewing, transfieren sus sentimientos y deseos al producto, la leche. Aunque el simple hecho de comprar productos como la leche de dos por ciento de grasa no satisface todas las necesidades de los jóvenes, el anuncio es exitosamente persuasivo.

Evidencia de asociación

Con otro tipo de asociación, el eslogan "Leche. ¿Dónde está tu bigote?" consigue persuadir a los consumidores de unirse a las celebridades y a otras personas importantes que beben más leche. Esta técnica llamada *causa*

(continúa)

(continúa)

común trabaja convenciendo al público de que "todos realizan la acción señalada". La causa común hace un llamado a la popularidad y se enfoca en el deseo que tiene el público de "ser parte de un grupo". La técnica de la causa común también es importante en la campaña "Leche. ¿Dónde está tu bigote?" porque son muchas las celebridades que han participado en ella. Debido a que los anuncios han sido distribuidos por todas partes, el público tiene la sensación de que todo el mundo está consumiendo más leche.

El anuncio de la leche también hace un llamado a la evidencia "científica". Se sugiere que debido a lo mucho que transpira durante los juegos, su cuerpo se deshidrata y pierde una gran cantidad de substancias nutritivas. El anuncio indica que la leche de dos por ciento de grasa repone las vitaminas y minerales perdidos. Mediante el uso de la terminología científica, el anuncio asocia la leche con la salud y la buena nutrición. **Evidencia de asociación** La mayoría de los consumidores no cuentan con información científica suficiente para comprender el argumento del anuncio. Al asociar el lenguaje científico con la leche, los creadores del anuncio tratan de persuadir al público que la leche, inclusive la de dos por ciento de grasa, es una opción saludable.

Una de las formas más sutiles de persuasión de este anuncio es la omisión de información negativa acerca del **Tercer criterio: omisión** contenido graso de la leche de dos por ciento de grasa. La omisión de los datos negativos o la presentación de información incompleta es una técnica efectiva porque puede convencer al público de consumir productos que de otra forma no comprarían. Para el consumidor promedio — quien prefiere ver baloncesto por televisión a jugarlo— beber grandes cantidades de leche no sería saludable. Según la American Dietetic Association (la Asociación **Información de fondo** Dietética Americana) (ADA), una taza de leche de dos por ciento de grasa contiene cinco gramos de grasa. Por eso, la ADA sugiere el consumo de productos lácteos bajos en contenido graso, como la leche descremada. A pesar de esto, el anuncio de Patrick Ewing hace mención de la leche de un

(continúa)

(continúa)

Evidencia de omisión

Elaborar mediante la comparación con otro anuncio de este tipo

CONCLUSIÓN

Nueva declaración de la tesis

Juicio del posible efecto del anuncio en las personas

dos por ciento de grasa, lo cual no es la mejor opción para la mayoría de las personas.

En contraste con el anuncio "Leche. ¿Dónde está tu bigote?" donde aparece Patrick Ewing, otro anuncio presenta a la ministro de salud y servicios humanos, quien sugiere el consumo de leche descremada. La señora ministro aceptó realizar el anuncio sin recibir paga como una actividad para promoción de la salud. Como partidaria confiable y experta en cuestiones de la salud, la señora ministro de salud y servicios humanos recomienda beber leche baja en grasa o descremada para las personas que no se ejercitan como atletas profesionales. Aún así, el anuncio de Patrick Ewing omite los aspectos potencialmente negativos de beber leche de dos por ciento de grasa y, por tanto, es efectivo al persuadir al público de comprar un producto que de otra manera no consumiría.

El anuncio de Patrick Ewing es exitoso por sí mismo y como parte de la campaña "Leche. ¿Dónde está tu bigote?" La frecuencia de los anuncios, el eslogan y los productos comerciales relacionados con la campaña aseguran la repetición constante del mensaje. Al asociar la leche con un ganador saludable, invitar a los consumidoresa a ser como él, y al usar evidencia cientifica que en apariencia apoya el argumento del anuncio, los publicistas han creado un anuncio muy efectivo. Desafortunadamente, la omisión de información negativa acerca del contenido graso de la leche de dos por ciento es también una de las más cuestionables técnicas del anuncio.

Los consumidores que se convencen con este anuncio y compran y beben más leche, pudieran no actuar en su propio beneficio, en especial si se dedican a permanecer como espectadores de las actividades deportivas en vez de practicarlas. En lugar de crear anuncios que promueven la salud pero omiten información sumamente importante sobre los valores alimenticios, los publicistas deberían centrar su atención en la creación de más anuncios como el que presenta a la señora ministro de salud y servicios humanos donde se recomienda un estilo de vida realmente saludable. Mientras esto sucede, ¿qué tal si usamos un nuevo eslogan: "Leche. ¿Dónde está tu bigote sin grasa?"

Selected Translations from the Quick Reference Handbook, Part 4

- The Dictionary
- The Library / Media Center
- Reading and Vocabulary
- Studying and Test Taking
- Writing
- Grammar at a Glance

El diccionario

Información acerca de las palabras

Contenido de un diccionario

Los diccionarios contienen las palabras de una lengua. Un diccionario muestra la manera en que la mayoría de las personas pronuncian y escriben sus palabras, así como lo que éstas significan según el contexto o las circunstancias. En un diccionario también encontrarás información sobre el origen y las variantes de una palabra.

Entrada de diccionario Una *entrada de diccionario* consta de una palabra e información acerca de ella. Los siguientes puntos explican las partes que forman una entrada de diccionario. (Para ver la ilustración que acompaña a la explicación, favor de referirse a la página 951 de la Edición del estudiante.)

1. **Palabra de entrada.** La palabra de entrada, escrita con letras negritas, muestra la ortografía correcta de una palabra y su división silábica. También puede indicar si la palabra se escribe con mayúsculas o tiene otras formas de escribirse.

2. **Pronunciación.** La pronunciación de una palabra se muestra mediante el uso de elementos fonéticos que incluyen acentos y signos diacríticos. La guía de pronunciación, que por lo general está al principio del diccionario o en la parte inferior de cada página, explica el significado de los signos diacríticos y otros elementos fonéticos.

3. **Formas gramaticales.** Las formas gramaticales (usualmente abreviadas) indican cómo se usa la palabra en una oración. Algunas palabras pueden usarse en más de una forma gramatical. En este caso, antes de cada serie de definiciones ordenadas con números o letras, se indica la función de la palabra gramaticalmente.

4. **Etimología.** La etimología indica el origen e historia de la palabra. La etimología también muestra cómo llegó esa palabra (o alguna de sus partes) a un idioma y las primeras formas conocidas de esa palabra en el idioma del cual proviene. La guía de los símbolos usados en las etimologías suele encontrarse al principio o al final del diccionario.

5. **Definiciones.** Si una palabra tiene más de un significado, las definiciones se muestran por separado, ordenadas con números o letras. La mayoría de las definiciones aparecen de acuerdo con la frecuencia de uso, pero también

podrían ordenarse según la época en la que la palabra adquirió cada significado. Lee la introducción del diccionario para que sepas cómo se ordenaron las definiciones.

6. **Ejemplos**. Oraciones y frases que ilustran la palabra tal y como se ha definido.

7. **Otras formas**. Un diccionario puede mostrar la ortografía de otras formas, completas o en parte, de la palabra, por ejemplo, de los plurales de los sustantivos, los tiempos verbales o las formas comparativas de adjetivos y adverbios.

8. **Clasificaciones de usos especiales.** Algunas clasificaciones pueden referirse a que la definición de una palabra se limita a ciertas partes gramaticales (como el [arcaizante] o los [modismos]). Las clasificaciones también pueden referirse a su significado en un determinado campo de estudio o disciplina, como derecho (*der.*) medicina (*med.*), química (*quim.*). Todos los diccionarios tienen una guía de las abreviaturas usadas.

9. **Palabras relacionadas**. Estas son las formas relacionadas con una palabra, generalmente creadas al añadir sufijos o prefijos.

10. **Sinónimos y antónimos**. Los sinónimos y los antónimos pueden aparecer al final de algunas entradas. Los sinónimos pueden incluirse en el cuerpo de la definición, escritos con mayúsculas.

Tipos de diccionarios
En vista de las diferencias entre los tipos de diccionarios y la información que presentan, debes elegir un diccionario con base en el tipo de datos que necesites.

Abreviado
El *diccionario abreviado*, o *compendio*, es el tipo más común. Un diccionario abreviado contiene la mayoría de las palabras que puedes encontrar en tus trabajos de escritura y lecturas. Por esa razón, un diccionario abreviado (también llamado diccionario *académico*) es la clase de diccionario más comúnmente encontrado en hogares, salones de clases y lugares de trabajo. Una de las ventajas de los diccionarios abreviados es que son frecuentemente actualizados, por lo que pueden proporcionar la información más reciente sobre los significados y los usos de las palabras. Los diccionarios abreviados ordenan sus listas de pa-labras alfabéticamente e incluyen información básica, como la ortografía, la definición, la pronunciación, parte de una oración y el origen de la palabra. La mayoría de estos diccionarios también incluyen tablas de las abreviaturas más comunes, entradas de biografía selecta y tablas de signos y símbolos.

Especializados
Los *diccionarios especializados* contienen palabras o términos usados en una materia o campo de estudio. Los diccionarios especializados incluyen información específica acerca de un término, es decir, los significados de una palabra en un contexto en particular que quizá un diccionario general no presente. Por ejemplo, los diccionarios especializados recopilan y definen términos como se usan en arte, música, deportes, cinematografía, jardinería, mitología y muchos otros temas. Algunos diccionarios especializados definen modismos y expresiones idiomáticas. Otro tipo de diccionarios especializados contiene palabras comunes agrupadas u ordenadas para satisfacer un propósito determinado, como diccionarios de rimas (frecuentemente consultados por poetas) que agrupan palabras que riman. Los diccionarios de idiomas extranjeros definen palabras y frases de otros idiomas y a veces contienen listas de verbos irregulares y reglas de gramática o de puntuación.

No abreviado
Un *diccionario no abreviado* de un idioma es la fuente más completa para encontrar información sobre una palabra. Este tipo de diccionario incluye palabras de uso poco frecuente y tiene más entradas que uno abreviado o

especializado. Por lo general, contiene más información, como secciones más amplias sobre el origen de las palabras y listas más extensas de sinónimos y antónimos. El diccionario no abreviado más extenso del idioma inglés es el *Oxford English Dictionary* (OED), el cual intenta enumerar y definir cada palabra del idioma inglés. La edición actual de veinte volúmenes del *OED* contiene definiciones y/o ilustraciones de más de 500,000 expresiones. Cada entrada ofrece una descripción detallada del origen de una palabra, su primera aparición en el idioma (con citas específicas como ejemplo), sus formas diversas y la manera como su significado ha cambiado con el tiempo. Las citas de fuentes históricas y literarias documentan el significado de una palabra y su uso desde el año 1150. Las entradas en el *OED* ponen énfasis en la historia de una palabra en lugar de su significado actual y son mucho más extensas

que aquellas que se hallan en diccionarios abreviados o especializados. Por esta razón, el *OED* no se utiliza como otros diccionarios.

Aparte del *OED*, la mayoría de los diccionarios no abreviados generalmente consisten de un solo volumen grande. Uno de los diccionarios no abreviados de un solo volumen más conocidos es el *Webster's Third New International Dictionary*. Se le llama diccionario *internacional* porque contiene palabras (con variaciones de ortografía y significado) usadas en diversos países de habla inglesa. Otro de los diccionarios no abreviados ampliamente reconocido es el *Random House Dictionary of the English Language*.

La biblioteca y el centro de medios

Usar fuentes impresas y electrónicas

La biblioteca o centro de consulta de tu escuela o comunidad te ofrece una gran variedad de medios impresos y electrónicos de consulta para ayudarte a encontrar y a usar información. Las *fuentes inpresas* como libros, publicaciones periódicas (revistas, periódicos y gacetas) y medios especializados (como microfilmes o archivos verticales). Las *fuentes electrónicas* incluyen CD-ROMS, Internet, DVDs y bases de datos en línea.

> **Sugerencia** Además de estas fuentes, ve más allá de las paredes de una biblioteca para hallar información en documentos de la vida real—como mapas, instrucciones técnicas, contratos, glosarios y una variedad de otros textos para el consumidor, de negocios o públicos.

Número de catálogo
El *número de catálogo* es un número o letra especial asignado a cada libro de una biblioteca. Este número indica su clasificación y ubicación en la biblioteca. Los dos sistemas de clasificación existentes son el sistema decimal Dewey y el sistema de la Biblioteca del Congreso.

■ **Sistema de clasificación decimal de Dewey** El *sistema de classificación decimal de Dewey* clasifica los libros en diez categorías de temas generales. Cada una de ellas se subdivide en campos más específicos. Las diez áreas temáticas generales y sus correspondientes números son los siguientes:

000–009	General (enciclopedias, bibliografías)
100–199	Filosofía y disciplinas relacionadas
200–299	Religión
300–399	Ciencias sociales (economía, sociología)
400–499	Idiomas (diccionarios, gramáticas)
500–599	Ciencias puras (matemáticas, biología)
600–699	Tecnología y ciencias aplicadas (televisión, aviación)
700–799	Las artes (escultura, música)
800–899	Literatura (novelas, poesía, obras de teatro)
900–999	Geografía, historia y disciplinas relacionadas

■ **Sistema de la Biblioteca del Congreso** El *sistema de la Biblioteca del Congreso* usa códigos de letras para identificar las clasificaciones por tema. La primera letra del código identifica una clasificación general (historia, por ejemplo); y la segunda letra identifica una subcategoría (como la americana.

Fichero El *fichero* tradicional es una colección de tarjetas o fichas dispuestas por orden alfabético en un gabinete o archivero. Por cada libro debe haber una *ficha de título* y una *ficha de autor.* Para los libros que no son de ficción también hay una *ficha de tema.* Además, las fichas de *referencias cruzadas* indican dónde puedes buscar más información. Las fichas deben contener la siguiente información: (Para ver la ilustración que acompaña a la explicación, favor de referirse a la página 977 de la Edición del estudiante.)

1. Un **número de catálogo** asignado al libro, ya sea en el sistema de la Biblioteca del Congreso o en el sistema decimal Dewey
2. El **nombre completo del autor,** empezando por el apellido
3. **El título** completo y **subtítulo** del libro
4. **Lugar** y **fecha** de publicación
5. El **tema** general del libro; la ficha del tema puede tener encabezados específicos
6. Una **descripción** del libro, que indique su tamaño y el número de páginas, además de mencionar si incluye ilustraciones
7. **Referencias cruzadas** con otros encabezados y temas relacionados que permiten encontrar libros afines

Conforme las bibliotecas han adoptado la tecnología de las computadoras, los ficheros tradicionales se han empezado a sustituir por catálogos electrónicos o en línea. (Ver **Catálogo en línea** en esta página y la siguiente.)

CD-ROMs Los *CD-ROMs* (*Compact Disc Read Only Memory*) son discos compactos diseñados para almacenar información visual y auditiva. Sus datos están codificados digitalmente y sólo pueden consultarse mediante una computadora que cuente con una unidad de lectura de discos compactos. Un sólo compacto puede contener alrededor de 250,000 páginas de texto. Por eso, en la actualidad, muchas

fuentes de referencia como enciclopedias, diccionarios e índices, están disponibles en este formato. Los discos compactos pueden contener la misma información que un medio impreso, pero cuentan con atractivas herramientas de búsqueda, gráficas interactivas y piezas de audio. (Ver el esquema de **Fuentes de referencia** en la página 129.)

Internet *Internet* es una red mundial de computadoras. Gracias a Internet, el usuario de una computadora puede tener acceso a la información de otra computadora o red de computadoras en cualquier parte del mundo. Creada a finales de los años sesenta, Internet fue usada originalmente por científicos para compartir información por medios electrónicos. Desde entonces, el contenido de la información transferida por Internet se ha extendido del campo científico a casi cualquier tema imaginable. Hoy en día, casi cualquier persona que cuente con una computadora y un módem puede usar Internet. Los medios para transferir información en Internet tales como FTP (File Transfer Protocol), y Talnet, así como los *navegadores de la red mundial,* los cuales proporcionan acceso a archivos y documentos, noticias y grupos de discusión, tableros de anuncios y al correo electrónico. El *Web* es el lugar de Internet donde puedes realizar tu investigación. (Ver también **La red mundial** en la página 130 y **Evaluar la red mundial y los sitios Web** en la página 135.)

Microformas Las *microformas* son artículos de revistas y periódicos transformados en fotografías miniatura y almacenados en *microfilmes* (película fotográfica) o *microfichas* (hojas de película) que pueden aumentarse con aparatos especiales que proyectan las imágenes en pantallas para su lectura.

Catálogo en línea Un *catálogo en línea* es una versión electrónica o de computadora de un fichero convencional. En lugar de buscar en tarjetas, el usuario escribe un título, autor o tema como clave de búsqueda. (Si no tienes en mente un título específico, puedes usar las *palabras clave* que aparecen en el título o en la descripción del libro.) La computadora buscará rápidamente la información con base en lo que escribiste y abrirá una ventana con los datos del libro. El catálogo en línea también te dirá si alguien solicitó antes que tú el libro que buscas y en qué otras bibliotecas está disponible. (Para ver la ilustración que acompaña a la explicación, favor de referirse a la página 978 de la Edición del estudiante.)

Bases de datos en línea

Una *base de datos en línea* es un sistema de información electrónica que sólo puede consultarse en una computadora. En la mayoría de los casos, grupos como universidades, bibliotecas o empresas crean o se suscriben a bases de datos de interés específico para personas y organizaciones. LEXIS/NEXIS es un ejemplo de bases de datos de suscripción. Los usuarios deben tener un número de identificación que les permita leer la información. Otras bases de datos son públicas y pueden usarse mediante la red mundial.

Recursos en línea

Se llama *recursos en línea* a las fuentes de información que se encuentran almacenadas en una computadora y que sólo pueden consultarse a través de ella. Las computadoras enlazadas se comunican entre sí mediante líneas de telecomunicaciones, ya sean telefónicas, de fibra óptica o vía satélite. Cuando las computadoras se enlazan, forman una *red.* Las redes de computadoras han hecho posible la existencia de Internet y la red mundial.

Radio, Televisión y Cine

La *radio* y la *televisión* son fuentes importantes de noticias e información. Los noticieros, las revistas informativas y los documentales son contenidos frecuentes de estos medios. A su vez, la lista de descripciones de programas de radio y televisión aparecen en periódicos, y en algunos casos, en la Internet. También se producen frecuentemente documentales y material educativo en *cine* o en *video.* Los índices de películas y videos educativos, como el *Video Source Book* (Thomson Gale, 2006) están disponibles en bibliotecas y librerías. Antes de usar una película o video como una fuente de información, revisa su clasificación para asegurarte de que su uso es apropiado.

Guía de publicaciones periódicas

La *Guía de publicaciones periódicas* es un índice que contiene artículos, poemas y cuentos de más de doscientas revistas y gacetas periódicas. Las ediciones rústicas publicadas a lo largo del año se incluyen en la *Guía de publicaciones;* son materiales publicados de dos a cuatro semanas antes. Al final del año, las ediciones rústicas se empastan en un solo volumen de pasta dura.

Los artículos se presentan en orden alfabético por autor y por tema, pero no por título. Los encabezados se escriben con letras negritas. La *Guía de publicaciones* también proporciona referencias de consulta adicional, como "Véase . . ." Una clave al inicio de la guía explica el significado de las abreviaturas usadas en las entradas.

Algunas bibliotecas están suscritas a una versión en línea de la *Guía de publicaciones.* Para usar esta versión, usa una palabra o frase de búsqueda y escoge los registros que te interesen para tu investigación. El registro que se encuentra en la página 979 de la Edición del estudiante se seleccionó de una lista de quince artículos encontrados por un investigador que, en su búsqueda, utilizó las palabras *conservación del agua* y *contaminación del agua.* La siguiente lista corresponde a la ilustración en la página 979 de la Edición del estudiante.

1. entrada del autor
2. título del artículo

3. referencia de página
4. referencia cruzada de tema
5. nombre del periódico
6. número de volumen del periódico
7. entrada de tema
8. fecha del periódico
9. autor del artículo

Libros de referencia
Los libros de referencia son libros que contienen información especializada. Contienen datos e información organizada en un orden lógico, como el orden alfabético o el cronológico, o por categorías. (Algunos libros de referencia se colocan en una sección aparte en la biblioteca, llamada la *sección de referencia*.) Algunos ejemplos son las enciclopedias, diccionarios, diccionarios de sinónimos, índices, libros de citas, atlas y almanaques. (Ver también el esquema de **Fuentes de referencia**.)

Fuentes de referencia
Existen muchas clases diferentes de fuentes de referencia que puedes usar para hallar información específica. El esquema identifica y describe fuentes de referencia comunes y ofrece ejemplos de fuentes de referencia impresas y electrónicas.

Fuentes de referencia		
Tipos de fuentes de referencia	**Descripción**	**Ejemplos**
ALMANAQUES	Información actualizada sobre sucesos actuales, datos, estadísticas y fechas	• *Information Please Almanac* • *TIME Almanac—The Reference Edition* (CD-ROM)
ATLAS	Mapas e información geográfica	• *Hammond Atlas of the World* • *Microsoft Encarta World Atlas* (CD-ROM)
ATLAS (HISTÓRICO)	Mapas y representaciones gráficas de cambios históricos significativos	• *The American Heritage Pictorial Atlas of United States History* • *Historical Atlas of the Holocaust*
ENCICLOPEDIAS	Artículos de información general, ordenados alfabéticamente por tema en un solo volumen o en varios volúmenes; las colecciones de varios volúmenes también pueden contener un índice que enumera temas más amplios	• *The Columbia Encyclopedia* • *The World Book Multimedia Encyclopedia*™
FUENTES DE REFERENCIA ACADÉMICA	Perfiles de universidades e información sobre como hallar y solicitar la admisión a universidades y escuelas vocacionales	• *Barron's Profile of American Colleges on CD-ROM* • *Peterson's College Database CD-ROM*
FUENTES DE REFERENCIAS ESPECIALIZADAS PARA TEMAS ESPECÍFICOS	Información relacionada con asuntos específicos o temas de interés para investigadores en determinados campos	• *The Dictionary of Science and Technology* (CD-ROM) • *The Encyclopedia of American Facts and Dates*

Fuentes de referencia		
Tipos de fuentes de referencia	Descripción	Ejemplos
FUENTES DE SUCESOS ACTUALES	Información actualizada sobre temas como crímenes y asuntos familiares, descubrimientos científicos y documentos del Archivo histórico nacional	• *Social Issues Resources Series (SIRS)* (audiotapes, videotapes, reprints of newspaper and magazine articles, photographs, letters, and posters)
GUÍA DE CARRERAS O PROFESIONES	Información sobre diversas industrias y ocupaciones, tales como descripciones de trabajos y requisitos educativos	• *Ace the Interview: The Multimedia Job Interview Guide* (CD-ROM) • *Peterson's Career & College Quest* (CD-ROM)
ÍNDICES	Información en forma de lista de artículos encontrados en periódicos u otras fuentes de información	• *Art Index* (CD-ROM) • *Biography Index*
LIBROS DE CITAS	Citas famosas catalogadas o agrupadas por tema o fuente	• *American Heritage Dictionary of American Quotations* • *Bartlett's Familiar Quotations* (CD-ROM)
LIBROS DE SINÓNIMOS	Lista de las palabras exactas o más interesantes para expresar ideas; puede usar un índice por categoría u orden alfabético como en un diccionario	• *Oxford Thesaurus on CD-ROM* • *Roget's International Thesaurus*
MANUALES DE ESTILO Y DE ESCRITURA	Información sobre el estilo apropiado de escritura y la preparación de documentos de investigación	• *The Chicago Manual of Style* • *Harbrace College Handbook* (CD-ROM)
REFERENCIAS BIOGRÁFICAS (ESPECIALIZADA)	Información sobre personas notables por sus logros en un campo específico o su afiliación a un determinado grupo	• *American Men and Women of Science 1998–1999* • *The Multimedia Encyclopedia of the American Indian* (CD-ROM)
REFERENCIAS BIOGRÁFICAS (GENERAL)	Información sobre el nacimiento, la nacionalidad y los logros principales de personas notables (del pasado y el presente). Los índices biográficos dicen dónde hallar libros y periódicos con información sobre personas específicas	• *Biography Index* • *Biography Index* (CD-ROM) • *Dictionary of American Biography on CD-ROM*
REFERENCIAS BIOGRÁFICAS (LITERARIA)	Información acerca de autores; generalmente contiene detalles de su nacimiento, muerte, publicaciones y reconocimientos u honores	• *American Authors 1600–1900* • *Contemporary Authors® on CD-ROM*

Fuentes de referencia		
Tipos de fuentes de referencia	Descripción	Ejemplos
REFERENCIAS LITERARIAS	Información sobre dónde ubicar trabajos diversos de literatura; información de los autores y sobre trabajos literarios individuales, tales como resúmenes de tramas y crítica de libros	• *The Columbia Granger's World of Poetry on CD-ROM* • *Contemporary Authors™ series* • *Masterplots Nonfiction, Drama, Poetry* (CD-ROM)

Archivo vertical Un *archivo vertical* es un gabinete con cajones que contienen materiales actualizados que no pueden almacenarse de otra manera, como folletos, recortes de periódico y fotografías, las cuales no pueden catalogarse de otra forma. Debido al incremento del uso de recursos electrónicos, este tipo de archivos tiende a desaparecer en el futuro.

La red mundial (WWW o el Web)

El *World Wide Web* es una parte de Internet. El Web es un enorme sistema de documentos enlazados o conectados que contienen textos, gráficas, elementos visuales, sonido y hasta videos. Los documentos de la red mundial, conocidos como *sitios* o *páginas Web*, están conectados mediante *hiperenlaces, dentro del mismo documento (enlace interno) o en otro sitio alterno (enlace externo)* los cuales son partes codificadas que proveen un enlace a otra sección. Si haces clic en un hiperenlace el sitio relacionado aparecerá en la pantalla de tu computadora.

Términos clave en la red mundial

Los siguientes términos pueden ayudarte a comprender mejor el funcionamiento y uso de la red mundial.

■ **Blog (o Weblog)** Un *blog* o *weblog* es un diario en línea actualizado frecuentemente y mantenido por un individuo o un grupo de personas. Generalmente, los lectores pueden colocar sus respuestas al artículo original.

■ **Navegador** Un *navegador* es una aplicación de computadora que permite tener acceso a los materiales del Web. Con él podrás explorar leer, guardar y hasta descargar los documentos, imágenes, sonidos y videos que encuentres.

■ **Dominio** Un *dominio* es el nombre de una computadora o servidor en Internet donde puedes consultar información. Todos los sitios Web cuentan con un dominio o servidor particular. (Ver también URL en la página siguiente.)

■ **Página base** Una *página base* es la primera página que aparece en la pantalla de un sitio Web. Por lo general, la página base identifica a la persona u organización que ha creado o patrocina el sitio, muestra un índice o tabla de contenidos y con frecuencia incluye hiperenlaces para conectarse con sitios relacionados.

■ **Hiperenlace** Los *hiperenlaces* son textos o imágenes que permiten al usuario moverse de una página a otra de la red mundial. En la pantalla, los hiperenlaces aparecen en un color de contraste o sub-rayados.

■ **Hipertexto** El *hipertexto* es un sistema que permite al usuario encontrar y abrir archivos y documentos relacionados en la red sin tener que abandonar o cerrar el archivo original. Un usuario puede moverse de un documento a otro vía hiperenlaces. El hipertexto es el principio básico de organización de la red mundial.

- **Lenguaje de marcas de hipertexto (HTML)** El *lenguaje de marcas de hipertexto* es el formato de lenguaje usado para crear documentos en la red mundial.

- **Protocolo de transferencia de hipertexto (HTTP)** El *protocolo de transferencia de hipertexto* es el conjunto de reglas de comunicación usado por las computadoras para acceder a la red mundial.

- **Podcast** Es la transmisión de contenido de audio o video en línea. Los archivos de los medios pueden ser descargados y accesibles a través de aparatos móviles o computadoras personales.

- **RSS (*R*eally *S*imple *S*yndication)** Es un formato de archivo usado para compartir en línea el contenido que se actualiza continua o periódicamente, como titulares de noticias o *blogs*. (Ver también **Blog** en la página anterior.)

- **Motor de búsqueda** Un *motor de búsqueda* es una herramienta para hallar información específica en la Web. (Ver también **Buscar en la red mundial** en la página 132.)

- **URL (Uniform Resource Locator Localizador Unificado de Recursos)** Un *URL* es la dirección de un documento específico o fuente en el Web. Un URL típico incluye palabras, abreviaturas, números y signos de puntuación específicos. El siguiente ejemplo de URL te permitirá conectarte con la lista de programas presentados en las estaciones de radio de todo el país. Los elementos de la dirección se explican después de ésta. (Ver también **Dominio** en la página anterior.)

```
   1        2        3
http://www.npr.org/programs/
```

1. El *protocolo* muestra como accesar el sitio.
2. El *nombre del dominio* debe tener al menos dos partes. La parte de la izquierda es el nombre de la compañía, institución u organización. La parte derecha es el dominio general. Observa la lista de abreviaturas de los siguientes dominios generales.

Dominios comunes en la red mundial	
.com	comercial
.edu	educactivo
.gov	gubernamental
.net	administrativo
.org	organización no lucrativa

3. El *directorio* indica dónde se almacena una pieza específica de información. (Cada parte separada con una diagonal indica un nivel más específico de búsqueda.) No todas las direcciones incluyen esta parte.

- **Sitio Web (página Web)** Un *sitio Web* o *página Web* es un documento o lugar en el Web que se encuentra enlazado con otros documentos del Web. Un sitio puede contener varias páginas Web. La lista siguiente incluye las partes más importantes de un navegador y de una página Web típica.

(Para ver la ilustración qua acompaña a la explicación, favor de referirse a la página 985 de la Edición del estudiante.)

1. **Barra de herramientas** Los iconos de la barra de herramientas permiten realizar diferentes funciones como avanzar a diferentes páginas, imprimir la información y mostrar u ocultar imágenes.
2. **Indicador de posición** Este cuadro presenta el URL o dirección del sitio que se muestra en la pantalla.
3. **Área de contenido** Esta es la parte de la pantalla que muestra el texto, las imágenes, hiperenlaces y otras partes de la página Web.
4. **Hiperenlace** Los hiperenlaces son palabras o frases subrayadas o de diferente color. Si haces clic en un hiperenlace,

podrás conectarte a otra página o sitio que contiene más información. Los *hiperenlaces internos* te envían a otra sección de la misma página; los *hiperenlaces externos* te envían a otro sitio de la Web (o URL).

5. **Barra de desplazamiento** Esta barra debajo de la pantalla, permite que te desplaces de izquierda a derecha. También hay una barra de desplazamiento vertical a la derecha de la pantalla.

Plagio en el World Wide Web

Adueñarse de la idea o el trabajo de otra persona y presentarlo como propio se conoce como *plagio.* Como la red mundial es una vasta fuente de información y como es muy fácil copiar información, el plagio de material electrónico se ha vuelto un serio problema. Por lo anterior, maneja la información que encuentres en el Web como si se tratara de una fuente impresa. Para evitar el plagio puedes parafrasear la información que encuentres en el Web, y **asegurarte de citar las fuentes de la información.**

Buscar en la red mundial Existen tres maneras de buscar información en la red mundial: *direcciones directas, motores de búsqueda* y *catálogos por tema.* Cada tipo de búsqueda tiene ciertas ventajas y desventajas, como se explica a continuación. En general, y a menos que conozcas la dirección exacta del sitio que buscas, lo más recomendable es usar una combinación de los tres tipos de búsqueda. Casi todos los servicios en la Web permiten usar los tres medios de búsqueda.

- **Direcciones electrónicas directas** La manera más directa de encontrar un sitio Web es escribir la dirección directa o URL del sitio en la ventana de localización o recuadro de búsqueda. Es importante escribir la dirección con exactitud, es

decir, el mismo tipo de letras (mayúsculas o minúsculas) y puntuación. Desde luego, esta estrategia no funciona si no conoces la dirección exacta del sitio.

- **Motores de búsqueda** Las *motores de búsqueda* te permiten tener acceso a *bases de datos* que contienen información sobre millones de sitios Web. Estas bases de datos son compiladas de manera automática por programas de computadora llamados arañas. (Ver también **La red mundial con motores de búsqueda** en esta página.)

- **Catálogos por tema** Un *catálogo por tema* es una extensa tabla organizada de contenidos de la red mundial. La información en los sitios Web está organizada en categorías muy amplias, como *Educación* y *entretenimiento.* (A diferencia de las máquinas de búsqueda, los catálogos por tema los ordenan las personas y no las máquinas.) Cada categoría del catálogo contiene muchas subcategorías, que se desglosan en categorías aún más específicas. Un catálogo por tema está ordenado de un asunto general a otro más particular.

La red mundial con motores de búsqueda

A diferencia de los catálogos por tema, los *índices de búsqueda* y *motores de búsqueda* permiten encontrar sitios Web que contienen palabras o frases específicas. Esta herramienta también permite que refines tus búsquedas.

- **Búsqueda con palabras clave** Una *búsqueda con palabras clave* permite localizar sitios que contienen palabras o frases específicas. Escribe las palabras en el recuadro de búsqueda y presiona la tecla *Return* o el botón *Find.* El motor de búsqueda analizará cada sitio Web de la base de datos que contenga las palabras usadas en la búsqueda. Los resultados aparecerán en una lista. Los

Refinar una búsqueda por clave	
Sugerencia	**Cómo funciona**
Reemplaza los términos generales con términos más específicos.	Una palabra clave que es común o usada de manera que no te imaginas puede producir muchas correspondencias irrelevantes. *Ejemplo* Si te interesa la exploración de cavernas, usa la palabra *espeleología*, en lugar de *cavernas*.
Usa comillas.	Al escribir tu palabra clave en comillas, el motor de búsquedo halla sitios que contienen la palabra que escribiste. *Ejemplo* Escribe "New Mexico" para encontrar sitios relacionados con el estado y no referentes al país de México o cualquier otro sitio que tenga la palabra nuevo.
Usa "+" y "–".	Para reducir la búsqueda, usa " + " entre las palabras clave. Así la máquina de búsqueda sólo tratará de encontrar los sitios que contienen todas las palabras claves. *Ejemplo* Para encontrar sitios acerca de las cavernas con cristales tanto en New Mexico como en Virginia, escribe la frase *New Mexico + Virginia + cavernas de cristales*. Usa " – " entre palabras clave para asegurarte de que la máquina de búsqueda no presente todos los sitios con temas similares, pero que no se relacionan directamente. *Ejemplo* Escribe *cavernas de cristales –vidrio* para evitar los sitios relacionados con cristal hecho a mano usado para hacer vasos para beber.
Usa la palabra *o*.	Para ampliar tu búsqueda, usa la palabra *o*, con la finalidad de que la máquina de búsqueda localice los sitios que contengan cualquiera de las palabras clave. *Ejemplo* Si quieres sitios que comenten tanto las cavernas de cristales de New Mexico como de Virginia, escribe *Cavernas en New Mexico o cavernas en Virginia*.

GUÍA DE CONSULTA RÁPIDA

sitios que contienen todas las palabras de búsqueda se mostrarán al principio, seguidos de los demás sitios que muestren otras combinaciones, ordenados en forma descendente. La mayoría de los motores de búsqueda asigna a cada concepto de la lista un porcentaje o rango para indicar qué tanto corresponde a tu solicitud. La búsqueda por palabra clave funciona mejor cuando tienes una idea clara o muy específica de lo que necesitas.

■ **Refinar una búsqueda por clave** En vista de que los motores de búsqueda tienen que identificar cientos y a veces hasta miles de sitios Web que contienen las palabras de búsqueda, considera la posibilidad de refinarla al enfocarla en un punto específico. Las siguientes estrategias pueden ayudarte. No obstante, recuerda que algunos motores de búsqueda pueden requerir unos comandos ligeramente diferentes a los que se presentan a continuación.

Evaluar la red mundial y los sitios Web

El contenido de la red mundial (*World Wide Web*) no es monitoreado en su veracidad como lo son la mayoría de los periódicos, libros y revistas. *Cualquier persona* puede publicar en el Web, por lo que un gran número de páginas Web no pasan por proceso de revisión alguno antes de su publicación. Por lo tanto, debes pensar críticamente en la información que encuentras allí para asegurarte de que la información es confiable y está bien documentada. Usa las preguntas del esquema a continuación para ayudarte a *evaluar* un sitio Web como una fuente de información. Podría sorprenderte saber que son muy pocos los sitios que reúnen todos los requisitos. Ten en mente que la red mundial es una novedad; los estándares para los sitios electrónicos aún están en evolución.

Evaluar sitios Web	
Qué preguntas hacer	**Por qué debes preguntar**
¿Quién creó o patrocinó el sitio Web?	La información en un sitio Web es seleccionada por el creador o el patrocinador del sitio, el cual debería ser identificado en la página base del sitio. El autor u organización debería ser reconocido en el campo que cubre el sitio. Usa sitios Web afiliados a organizaciones respetables, como agencias gubernamentales, universidades, museos y organizaciones de noticias internacionales. Usualmente, tales sitios Web pertenecerán a los dominios de *edu, gov,* u *org.*
¿Cuál es el propósito del sitio Web?	Las personas o grupos tienen motivos diversos para publicar en la Red, tales como proporcionar información, comercializar un producto o promover una causa. Determinar el propósito del sitio te ayudará a evaluar su confiabilidad y a detectar cualquier parcialidad.
¿Ofrece el sitio Web una cobertura adecuada del tema?	Si el sitio contiene una clase y una profundidad de la cobertura que no está disponible en otro lugar, puede que sea provechoso el tiempo que pasas conectado en línea. De lo contrario, deberías confiar en fuentes de información alternativas.
¿Cuándo fue la primera vez que se lanzó la página?¿es actualizada con frecuencia	Esta información generalmente aparece al final de la página base. En la mayoría de los casos, incluye el aviso de derechos reservados, la fecha de la actualización más reciente y un enlace con la dirección de correo electrónico de su creador. Así como con cualquier otra fuente de referencia, quieres que tu información esté actualizada.
¿A qué otras páginas Web tiene enlaces el sitio?	Mirar los enlaces que ofrece un sitio Web puede ayudarte a determinar la veracidad de su contenido. Si un sitio es una fuente de información veraz, tendrá enlaces a otros sitios Web respetables.
¿Presenta el sitio Web información de manera objetiva?	Busca muestras de parcialidad, tales como un lenguaje fuerte o la declaración de opiniones. Si el sitio trata de ser objetivo, presentará hechos e ideas desde ambos lados de un asunto o debate. Ten cuidado con sitios que utilizan material de ficción para respaldar sus ideas.
¿Está bien diseñado el sitio Web?	Un sitio Web bien diseñado tiene caracteres legibles, gráficas claras y enlaces en funcionamiento. Es fácil de explorar o navegar. El contenido escrito del sitio debe estar bien organizado y usar ortografía, puntuación y gramática apropiadas.

Lectura y vocabulario

Lectura

Destrezas y estrategias

Puedes usar las siguientes destrezas y estrategias para convertirte en un mejor lector.

Determinar el propósito y el punto de vista del autor

Un autor siempre tiene una razón o un *propósito* para escribir una selección. Informar, persuadir, expresarse a sí mismo y entretener son los propósitos más comunes en la escritura. (Algunas formas de escritura sirven un solo propósito—escritura de negocios y declaración de políticas, por ejemplo—mientras que otras, como los sitios Web, sirven casi cualquier propósito.) Las opiniones o actitudes que muestran los autores sobre cada tema se conocen como **punto de vista.** Una opinión fuerte, o parcialidad, puede llevar a un autor a proporcionar información poco clara o inexacta. Determinar el propósito y el punto de vista del autor puede ayudarte a comprender mejor el significado de cualquier texto.

EJEMPLO Las compostas son una excelente forma de reciclar la basura y nutrir la tierra. También ayuda a deshacerse de basura que de otra forma iría a parar a un contenedor. Todo lo que necesitas es un espacio en tu patio trasero para ventilar un cajón. Llénalo con capas de hojas muertas, pasto cortado y cáscaras de frutas y verduras. Revuelve la mezcla una vez al mes, y en unos cuantos meses tendrás una fuente natural de excelente fertilizante para tu jardín.

Propósito del autor: Explicar lo que son las compostas.

Punto de vista del autor: El composteo es una buena manera de fertilizar el jardín de forma natural y deshacerse de la basura.

Analizar relaciones de causa y efecto

Una *causa* hace que algo suceda. Un *efecto* es lo que sucede como resultado de una causa. Cuando haces preguntas tales como "*¿Por qué?* y "*¿Cuáles son los resultados?*" durante la lectura, examinas causas y efectos.

EJEMPLO En 1904, un hongo entró inadvertidamente a los Estados Unidos en una exposición botánica y fue fatal para casi todos los castaños del país. En los siguientes cuarenta años, todos los castaños de Estados Unidos murieron o quedaron dañados a causa del hongo. La muerte de los castaños afectó muchísimo la industria maderera y a generaciones de agricultores de estos árboles. Incluso hoy, los brotes de castaños no pueden madurar en la naturaleza. Solamente en aquellos sitios en los que el hongo no existe los castaños cultivados florecen.

Análisis: Un hongo fue la causa de la virtual extinción del castaño de los Estados Unidos. Un efecto de la propagación del hongo fue la muerte de casi todos los castaños del país.

Palabras clave

Los escritores usan ciertas palabras para relacionar sus ideas o mostrar relaciones entre las ideas. Los lectores usan estas *palabras clave* para ayudarse a identificar el patrón de

Palabras clave				
Causa-Efecto	Orden cronológico	Comparación-Constraste	Listas	Problema Solución
como resultado	después	aunque	asimismo	como resultado
porque	mientras	así como	por ejemplo	sin embargo
como consecuencia	antes	pero	de hecho	por lo tanto
si . . . entonces	finalmente	ya sea . . . o	más importante	esto conduce a
sin embargo	primero	sin embargo	para empezar con	así que
en vista de	no mucho después	no sólo . . . sino también		
así que	ahora	por otra parte		
por lo tanto	en segundo lugar	de manera similar		
esto conduce a	entonces	a menos que		
por eso	cuando	incluso		

organización de un texto. Observa el esquema anterior. (Ver también **Analizar la estructura del texto en la página 140.**)

Sacar conclusiones Una *conclusión* es un juicio que puedes hacer al combinar la información del texto con lo que sabes sobre el tema. Mientras lees, reúnes información, relacionas los datos con tus experiencias y sacas conclusiones lógicas y específicas acerca del texto.

> **EJEMPLO** El aire se estaba volviendo muy fino para ser respirado, y el clima se volvía ominoso. Me sujeté un tanque de oxígeno y miré hacia abajo de uno de los picos más altos del mundo. Por supuesto, no estaba acostumbrado a clima semejante, pero la dificultad se recompensaba con esa vista especial del mundo. "Sólo los astronautas ascienden más alto", pensé.
>
> **Conclusión:** El narrador ascendió a la cima de uno de los picos más altos del planeta.

Distinguir hecho y opinión Un *hecho* es una información que puede comprobarse mediante pruebas, la experiencia personal y fuentes fiables. Una *opinión* expresa una creencia o actitud personal, por lo que no puede probarse si es verdadera o falsa. Sólo las opiniones que se apoyan en evidencias de hecho se consideran **válidas.**

EJEMPLO

Hecho: La reina Elizabeth I gobernó de 1558 a 1603. (Obras de referencia apoyan la validez de esta declaración.)

Opinión: La reina Elizabeth I fue la mejor gobernante en la historia de Inglaterra. (Esto es lo que piensa o cree el autor; esta declaración no puede probarse como verdadera o falsa.)

Hacer generalizaciones Un lector hace una *generalización* cuando combina información de un texto con su experiencia personal para elaborar un juicio o declaración acerca del mundo en general.

EJEMPLO Aun cuando no tenga su propia computadora o la use en su vida diaria, usted se ve afectado por ella todos los días. Las computadoras se usan en la tienda de abarrotes, en las gasolineras y en los consultorios médicos. Las personas que reciben su boleto del estacionamiento, las que leen su medidor eléctrico y las que reparan su teléfono, también usan computadoras.

Generalización: Las computadoras están en todas partes aun cuando creamos que no las utilizamos.

Identificar la idea principal implícita

Algunos escritores no presentan de manera directa la idea principal; en lugar de eso la *implican* o sugieren. En este caso, tú como lector debes analizar los detalles del texto para determinar las ideas principales que *implican* o que se expresan de manera indirecta.

EJEMPLO En 1796, el médico inglés Edward Jenner creó la primera vacuna contra la viruela a partir del virus de una vacuna relacionada. Probó la vacuna en niños a los que después expuso a la enfermedad mencionada. El éxito del experimento de Jenner señaló el primer paso en el desarrollo de la vacunación.

Idea principal implícita: Edward Jenner inventó la primera vacuna eficaz.

Hacer inferencias

Una *inferencia* es una suposición razonada que el lector hace con base en ideas que un texto no establece directamente con conocimientos o experiencias previas.

EJEMPLO Seis millones de mujeres norteamericanas salieron a trabajar fuera de sus casas entre los años 1941 y 1945. Trabajaron en tareas por lo regular reservadas a los hombres, compensando al 12% de los trabajadores de los astilleros y al 40% por ciento de las plantas de aeronaves. Asumiendo más responsabilidades que nunca antes, las trabajadoras esperaban seguir trabajando después de la guerra. Sin embargo, en 1946, dos millones de mujeres perdieron sus trabajos en la industria porque los trabajadores regresaron de la guerra.

Inferencia: Cuando muchos hombres fueron a la guerra, las mujeres expandieron significativamente sus funciones tradicionales.

Parafrasear

Parafrasear equivale a replantear las ideas y la información que da un autor en tus propias palabras. Usar la paráfrasis es una buena forma de comprobar tu comprensión de un texto difícil, como un poema (si lo puedes parafrasear seguramente es porque lo entendiste). A diferencia de un resumen, una paráfrasis no es un versión resumida de un texto, muchas veces es de su misma extensión.

EJEMPLO El empleo de la puntuación en la escritura, especialmente del punto, se ha desarrollado recientemente. Los antiguos escritores no eran consistentes: dejaban espacios en blanco, puntos o guiones para indicar el fin de una idea. Cuando en el siglo VIII el punto se introdujo como signo de puntuación, servía tanto de coma como de marca final. No fue sino hasta 1566 cuando Aldus Manitus, el Joven, hizo del punto una marca oficial para terminar los párrafos, que desde entonces se ha usado por los impresores.

Paráfrasis: La puntuación no siempre se ha usado al escribir. Los antiguos escritores usaban espacios, puntos o guiones para terminar sus oraciones. Cuando el punto se introdujo en la escritura, servía tanto de coma como de punto. En 1556, Aldus Manitus, el Joven, estableció que el punto era la forma correcta de terminar una oración.

Analizar técnicas persuasivas

Un autor usa *técnicas persuasivas* cuando quiere convencer a sus lectores de que piensen o actúen de determinada forma. Cuando leas un texto persuasivo, observa los datos y el razonamiento lógico y formal. También busca las llamadas o apelaciones emocionales y éticas que dan fuerza a la escritura, pero que nunca deben sustituir al razonamiento individual.

EJEMPLO Nuestra ciudad está creciendo a un paso alarmante, y necesitamos prepararnos para las necesidades de sus futuros ciudadanos. La población ha crecido un 40% en los últimos quince años. Quienes han vivido aquí desde hace tiempo han visto los efectos negativos de dicho crecimiento: tránsito, contaminación y aumento del crimen. Hay algunos beneficios, como el nuevo hospital, pero han sido sobrepasados por los problemas que resultarán si no mejoramos la policía y los bomberos. Imaginen la pena que sentiremos si en diez años alguien se hiere o muere porque no actuamos a tiempo para hacer de nuestra ciudad un sitio seguro para vivir.

Análisis: La segunda, la tercera y la cuarta oración dan las evidencias para apoyar la opinión de la primera oración. La última oración apela a las emociones y a la ética del lector.

Predecir
Cuando un lector hace suposiciones razonadas acerca de lo que pasará en el texto, él o ella está haciendo una *predicción.* Al predecir, se usa información del texto, incluyendo títulos, subtítulos, ilustraciones y gráficas, además del propio conocimiento y experiencia.

EJEMPLO El director Jill Feldman se reunió el miércoles con la mesa directiva de la escuela para comentar el futuro de un programa escolar para apoyar a los estudiantes de quinto a octavo grados con más tiempo de estudio por la tarde. Debido a que se requiere reparar el techo de la escuela porque tiene goteras, la mesa directiva sugirió recortar las horas del programa. El director Feldman argumentó que desde que el programa está en marcha, las calificaciones de los alumnos en las pruebas estatales escolares han mejorado un poco.

Predicción: El artículo revelará si el programa alcanzó su cometido.

Analizar relaciones entre problemas y soluciones
Un *problema* con frecuencia es una pregunta sin respuesta. Una *solución* es un intento por responder esa pregunta. Cuando leas, reflexiona acerca de algún problema y plantea estas preguntas:

- ¿Cuál es el problema?

- ¿Quién se ve afectado por el problema?

- ¿Cuáles son los efectos del problema?

Después, puedes analizar y evaluar la solución preguntándote:

- ¿Cuáles son las ventajas y las desventajas de cada solución propuesta?

- ¿Cuáles son las consecuencias de cada intento de solución?

- ¿Cuál es el resultado final de la solución? (En otras palabras, ¿se solucionó el problema?)

EJEMPLO Cuando la guerra irrumpió en la tierra de los abuelos de Ana Aliu, ella se sintió desgarrada entre la identidad americana y su herencia. Ninguno de sus amigos tenía interés en el conflicto. Ana tenía varias opiniones. Pudo haber buscado un sitio para charlar en la Internet para comentar las publicaciones, pero consideraba que hacer sólo eso era muy pasivo. Consideró la posibilidad de una huelga de hambre, pero pensó que era demasiado extremista. Finalmente, ella utilizó la Internet y la biblioteca para encontrar nombres de organizaciones a quienes ella y sus amigos podrían escribir acerca del fin del conflicto.

Análisis: *¿Cuál es el problema?* El problema es que nadie a excepción de Ana considera que una guerra en la tierra de sus abuelos es un problema. *¿A quién le afecta el problema?* A Ana, sus abuelos y a todas las personas de ese país, *¿Cuáles son los efectos del problema?* Además de los efectos experimentados por las víctimas del conflicto. Ana se siente frustrada por la falta de preocupación demostrada en los Estados Unidos. *¿Cuáles son las ventajas y las desventajas de cada solución propuesta?* Las primeras dos parecen no ser muy efectivas; la última es la que tiene mayores posibilidades de éxito. *¿Qué resultados podrían esperarse de cada posible solución?* y *¿Cuál es el resultado final de la solución?* La solución— relacionarse con personas preocupadas por la prensa y hacer un llamado a favor de la paz—

no ha tenido un efecto a largo plazo para apreciar sus efectos.

Identificar la idea principal definida y detalles de apoyo

La *idea principal* es la idea central o clave de un escrito. Con frecuencia, las ideas principales aparecen como oraciones temáticas de párrafos o, en un texto más largo, como la tesis o planteamiento, bien sea en la introducción o en la conclusión. Los *detalles de apoyo* prueban o explican la idea principal.

EJEMPLO Con paciencia, consistencia y seguridad, puedes entrenar a un perro. El entrenamiento de un perro lleva su tiempo, al menos media hora al día de práctica concentrada. Cada vez que le des una orden al perro, tiene que obedecerte. Por ejemplo, si no se sienta, corrígelo tirando firmemente de su collar. Si permites que el perro se vaya sin obedecer, le estarás mandando un mensaje incorrecto. Ten confianza en tu perro, y él siempre te responderá y te respetará.

Planteamiento de la idea principal: El entrenamiento de un perro requiere paciencia, consistencia y confianza.

Detalles de apoyo: El entrenamiento de un perro requiere tiempo. La falta de consistencia transmite al perro un mensaje incorrecto. Los perros respetan y obedecen a los entrenadores que les tienen confianza.

NOTA: Al planteamiento de la idea principal también se le conoce como *idea principal explícita.*

Resumir

Un *resumen* es una nueva y breve declaración de los puntos más importantes de una selección. Resumir es una destreza de lectura muy útil. Te permite identificar el significado fundamental de los artículos o pasajes que estudies. También te ayuda a pensar de manera crítica, porque requiere que analices el material, separes la idea principal e identifiques los detalles que puedan omitirse. Cuando *resumes,* presentas una

imagen completa del texto con la menor cantidad de palabras posible.

EJEMPLO Una forma de determinar la edad de un sitio arqueológico es tomar una muestra de madera de la estructura y examinar sus anillos de crecimiento. Éstos reflejan los patrones de crecimiento del árbol, y crean un especie de mapa de la duración de la vida del árbol. Comparar los anillos con series que ya se hayan fechado es una de las maneras más fiables de determinar la edad de un sitio arqueológico.

Resumen: La edad de un sitio arqueológico puede estimarse observando los patrones de los anillos de la madera de una estructura.

Analizar la estructura del texto

La *estructura del texto* es el patrón que usa un escritor para organizar ideas o sucesos. Por lo general, los escritores usan cinco patrones principales de organización: *causa y efecto, orden cronológico, comparación y contraste, enumeración,* y *problema y solución.* Reconocer cómo se relacionan personas, cosas, sucesos e ideas te ayudará a comprender mejor los textos. Usa la siguiente guía para analizar la estructura de un texto:

1. **Busca la idea principal del texto.** Busca palabras clave que señalen un patrón específico de organización.

2. **Busca otras ideas importantes en el texto.** Piensa cómo los detalles y la idea principal se relacionan entre sí, y busca un patrón evidente.

3. **Recuerda que un escritor puede usar el mismo patrón de organización en todo el texto o combinar patrones distintos.** Con frecuencia en todo el texto sigue un patrón general y distintos patrones en las secciones o párrafos.

4. **Usa un organizador gráfico para esquematizar la relación entre las ideas.** En las páginas 993 y 994 de la Edición del estudiante se encuentran organizadores gráficos que corresponden a los cinco patrones más comunes

de organización descritos a continuación.

- El *patrón de causa y efecto* muestra la relación entre los resultados y las ideas o sucesos que los generan. Un tipo de patrón de causa y efecto es una **cadena causal.** En una cadena causal, una cosa precede a la siguiente. El ejemplo en la página 993 de la Edición del estudiante muestra los efectos positivos y negativos de las computadoras.

- El *patrón de orden cronológico* muestra la secuencia de los sucesos o ideas tal y como ocurren. El ejemplo en la página 994 de la Edición del estudiante muestra la secuencia para reparar la llanta desinflada de una bicicleta.

- El *patrón de comparación y contraste* señala las semejanzas y/o diferencias: El ejemplo en la página 994 de la Edición del estudiante compara las antiguas lenguas clásicas: el griego y el latín.

- El *patrón de la enumeración* presenta material clasificado por criterios, como tamaño, posición o importancia. El siguiente ejemplo muestra una enumeración de los elementos visuales de los impresionistas en orden de importancia:

Lista

1. Armonía de la línea, el color y la forma.
2. Aparición de manchas de color en lugar de las pinceladas firmes y largas.
3. Atención a la representación de la luz.
4. Representación de escenas de recreo como cafés, teatros y conciertos.

- El *patrón de problema y solución* identifica al menos un problema y ofrece una o más soluciones, además de explicar o predecir los resultados parciales y finales de las soluciones. El ejemplo a continuación está basado en un artículo que muestra como los científicos y los habitantes de

una isla tienen que enfrentar un problema ocasionado por una plaga no nativa del lugar.

Patrón de problema-solución

Problema

¿Cuál es el problema?

La isla está invadida de animales invasores.

¿De quién es el problema?

Las personas de la isla tienen que lidiar con los daños ocasionados por la proliferación de animales no nativos.

¿Por qué existe el problema?

La población de los animales creció sin control porque no tienen enemigos naturales en la isla.

Soluciones planteadas

- Exterminación de los animales no nativos.
- Importar enemigos naturales de la plaga.
- Estudiar el problema.

Resultados de las soluciones

- Dificultad para acabar con todos los animales.
- No hay garantía; puede surgir un problema similar.
- No produce ningún resultado inmediato.

Resultados finales

Los científicos estudian y comentan el problema posterior. Los isleños refuerzan estrictas inspecciones sobre aviones, barcos y viajeros procedentes del exterior.

Usar nexos Los escritores usan los *nexos* para conectar las ideas y darle coherencia al texto. Como lector, tu habilidad para reconocer los nexos te ayudará a entender como todas las ideas de una selección se enlazan.

Interpretar gráficas Las *gráficas* transmiten ideas de manera visual. Pueden usarse para organizar o exponer información, para explicar un proceso, describir las relaciones entre cosas, o

ilustrar conceptos o cosas. Con mayor frecuencia, las gráficas comparan de manera clara asuntos diferentes pero que se relacionan de alguna manera. Como lector, empieza por leer todas las oraciones, títulos, pies de ilustraciones, rótulos o claves, que expliquen la gráfica y la relacionen con el texto. Las representaciones gráficas más comunes son los *esquemas, diagramas, gráficas, tablas* y *líneas cronológicas.*

Esquemas Los *esquemas* muestran la relación entre ideas y datos. Dos tipos de esquemas que puedes encontrar en tu lectura son los *esquemas de movimiento* y las *gráficas de pastel.* Los **esquemas de movimiento** usan formas geométricas relacionadas con flechas para mostrar la secuencia de los eventos de un proceso. La dirección del movimiento es siempre de izquierda a derecha o de arriba abajo. Las **gráficas de pastel** muestran la relación de las partes de un todo. Cuando se dan los porcentajes, suman cien por ciento. Busca los rótulos dentro de la gráfica o un código para descifrar los colores empleados. La gráfica de pastel que sigue muestra la distribución del tiempo de una compañía y los recursos en la producción de juegos de computadora. (Para ver la ilustración que acompaña a la explicación, favor de referirse a la página 995 de la Edición del estudiante.)

Diagramas Los *diagramas* usan símbolos (como círculos, flechas o imágenes) para ilustrar algo, mostrar un proceso, comparar ideas abstractas, o dar instrucciones. (Por lo general, los diagramas no se usan para representar datos numéricos; un diagrama no puede representar cantidades con precisión.) Observa el diagrama en la página 996 de la Edición del estudiante que ilustra cómo se reproducen los virus.

Un **diagrama de Venn,** en la página 996 de la Edición del estudiante, usa dos círculos sobre puestos para comparar dos ideas o cosas. La sección del diagrama donde los círculos se traslapan contiene los elementos compartidos por las dos cosas.

Gráficas lineales y de barras Las *gráficas lineales* y *gráficas de barras* muestran cómo una variable cambia en relación con otra. Por lo regular, el eje horizontal de la gráfica indica los cambios en el tiempo y el eje vertical muestra las cantidades. Observa las gráficas lineales y de barras que ilustran las tendencias de ventas de dos juegos de computadoras. (Para ver las ilustraciones que acompañan a la explicación, favor de referirse a la página 997 de la Edición del estudiante.)

Tablas Las *tablas* son listas de datos relacionados, que se organizan en renglones y columnas. Una tabla presenta los datos, pero no los interpreta. Los lectores deben sacar sus propias conclusiones acerca de la relación de los datos. (Para ver la ilustración que acompaña a la explicación, favor de referirse a la página 997 de la Edición del estudiante.)

Líneas cronológicas Las *líneas cronológicas* muestran los sucesos que ocurrieron en un periodo determinado. Por lo general, los sucesos se identifican o describen sobre la línea y las fechas se indican por debajo de la misma. La línea cronológica en la página 998 de la Edición del estudiante indica algunos hechos importantes que sucedieron en los primeros cincuenta años de la exploración espacial de Norteamérica.

Vocabulario

Claves de contexto Con frecuencia puedes averiguar el significado de una palabra examinando el *contexto,* es decir, las palabras u oraciones que la rodean. Examinar las palabras, frases y oraciones se llama usar *claves de contexto.* El siguiente esquema muestra algunos ejemplos de algunas claves de contexto comunes. Advierte que las palabras de vocabulario difíciles se imprimen en itálicas y la palabra o palabras clave, en negritas.

Cómo usar las claves de contexto
Tipos de claves
Antónimos: Busca claves que indiquen si el significado de la palabra poco común es opuesto al de otra palabra o frase conocidas.   *Ejemplo:* Durante los años 1930, muchos agricultores norteamericanos abandonaron sus **campos improductivos** en busca de tierra *cultivable.*
Causa y efecto: Busca claves que muestren si la palabra poco común está relacionada con la causa o el resultado de una acción, sentimiento o idea.   *Ejemplo:* **Las constantes sequías y los vendavales causaron** la *erosión* de la capa fértil del suelo que los cultivos requieren para crecer.
Comparación: Algunas veces una palabra poco común puede ser comparada con otra más familiar.   *Ejemplo:* De *improviso,* los campos de inmigrantes proliferaron **como hongos** cerca de las granjas que tenían cultivos que cosechar.
Contrastar: Una palabra poco común algunas veces puede contrastarse con otro concepto o palabra más familiar.   *Ejemplo:* **A diferencia de los agricultores desplazados y otros que de pronto se quedaron sin empleo,** la *afluencia* no fue muy afectada por la depresión económica.
Definiciones y replanteamientos: Busca palabras que definan el término o lo planteen con otras palabras.   *Ejemplo:* Con frecuencia familias enteras se convirtieron en *trashumantes,* **al tener que desplazarse de un lado para otro a fin de encontrar trabajo.**
Ejemplos: Busca en el contexto ejemplos que revelen el significado de una palabra poco familiar.   *Ejemplo:* *Archivos,* **como el de la Biblioteca del Congreso,** contienen documentos que describen los problemas que mucha gente tuvo durante los años treinta.
Sinónimos: Busca claves que indiquen si el significado de una palabra poco común es similar al de otra palabra o frase conocidas.   *Ejemplo:* Numerosas memorias dan cuenta del sentimiento de *camaradería* que había entre la gente, **la amistad** que sentían cuando compartían con otros lo poco que tenían.

Banco de palabras Una manera de aumentar tu vocabulario es recopilar palabras en un *banco de palabras,* es decir, en una lista de palabras creada durante tus propios ejercicios de lectura y tus prácticas auditivas y visuales. Cada vez que encuentres una palabra nueva, inclúyela en tu banco de palabras—con frecuencia un cuaderno por separado o un archivo de computadora. Consulta el significado de cada palabra en un diccionario para estar seguro de que comprendes el significado y el uso de cada nueva palabra.

Formación de palabras Constantemente se forman nuevas palabras y se agregan a los idiomas. La manera más común en que se forman las palabras es mediante la combinación de palabras o partes de ellas. Las palabras nuevas se forman añadiendo prefijos y sufijos a una *palabra base* a una *raíz.* Sin embargo, algunas veces se combinan dos palabras base (con guión o sin él) para formar una nueva palabra. La tabla de abajo muestra las formas más usuales de la formación de palabras.

Significado de las palabras

Algunas palabras tienen varias acepciones. Sus significados dependen del momento, el lugar y la situación en que se apliquen. Usa las siguientes definiciones y ejemplos para determinar si las palabras que usas dicen exactamente lo que quieres decir.

■ *Denotación y connotación* La *denotación* y la *connotación* son de vital importancia para poder entender los niveles de significado de las palabras. La *denotación* de una palabra se refiere a su significado literal, es el significado que se presenta en la definición del diccionario. La *connotación* es el significado emocional o asociaciones con que las personas relacionan esa palabra. En vista de que las connotaciones hacen un llamado a los sentimientos de las personas, suelen tener efectos poderosos en el oyente o lector.

EJEMPLO Las palabras *improvisado* e *impetuoso* comparten el significado denotativo "espontáneo", pero sugieren diferentes ideas o sentimientos. *Improvisado* por lo general sugiere un discurso o una acción bien hechos con poca preparación o ningún ensayo, mientras que *impetuoso* sugiere la connotación negativa de una acción hecha de prisa y mal.

■ *Lenguaje figurado* El *lenguaje figurado* va más allá del significado literal de las palabras para crear un sentimiento o efecto especial. El esquema en la página siguiente muestra los tipos más comunes de lenguaje figurado.

Formación de palabras		
Proceso	**Descripción**	**Ejemplos**
Combinar	Combinar dos palabras base para hacer una palabra compuesta o combinar una palabra con un prefijo o un sufijo	doorway, high-rise, unfold, wonderful
Acortar	Omitir parte de una palabra original para acortarla o cambiarla en otra parte del discurso	telephone > phone burglar > burgle nuclear > nuke
Mezclar	Acortar y combinar dos palabras	breakfast + lunch = brunch smoke + fog = smog
Cambiar	Cambiar el significado o uso de una palabra	host (n.) > host (v.) farm (n.) > farm (v.)

Tipo de lenguaje figurado

Un *símil* compara dos elementos diferentes con la palabra *como*.

Ejemplo: El motor arrancó como un viejo gruñón que se levanta de la cama.

Una *metáfora* establece una equivalencia o igualdad entre dos cosas sin la palabra *como*.

Ejemplo: La espera fue una eternidad.

La *personificación* da características humanas a elementos no humanos.

Ejemplo: El aire suave de afuera me cantaba para dormir.

■ *Expresiones idiomáticas* Las *expresiones idiomáticas* son frases empleadas en la conversación cuyo significado no corresponde al significado literal de las palabras. Con frecuencia, las expresiones idiomáticas no pueden explicarse gramaticalmente, y pueden no tener sentido si se traducen palabra por palabra a otro idioma. En muchas expresiones idiomáticas, si se cambian una o dos palabras se puede alterar por completo el significado de la expresión. Piensa, por ejemplo, en la frase *contra la corriente*. Si vas contra la corriente significa que estás rebelándote en contra de algo. ¿Qué pasaría si fueras corriente abajo? Observa los siguientes ejemplos de expresiones idiomáticas comunes.

EJEMPLOS

Max no se podía concentrar en su trabajo; estaba *ido*.

Mi amigo me explicó el chiste dos veces, pero no lo *pude atrapar*.

No podemos llegar a una solución cuando *le das vueltas al asunto*.

Me puse en camino al mediodía y llegué a casa a la hora de cenar.

■ *Palabras cargadas* Las *palabras cargadas* se emplean para provocar un fuerte sentimiento positivo o negativo. Un escritor o un hablante puede usar palabras cargadas para lograr que el público juzgue con base en las emociones provocadas por esas palabras. Los políticos, los publicistas y los periodistas que escriben editoriales conocen y usan ese tipo de palabras para influir en sus lectores. Advierte la diferencia entre las dos oraciones siguientes; el tono de la primera oración cambia mucho cuando se emplean palabras neutras.

EJEMPLO

El público recibió los comentarios *imparciales* del administrador con *reservas*.

El público recibió los *melosos* comentarios del administrador con *ruda indiferencia*.

■ *Múltiples significados* Muchas palabras tienen más de un significado, y con frecuencia desempeñan más de una función en el discurso. Cuando uses el diccionario para buscar el significado de una palabra, lee todas las definiciones y recuerda el contexto en que leíste o escuchaste la palabra. Luego prueba diferentes acepciones hasta encontrar la que mejor se adapta al contexto. Observa que la palabra en cursivas del siguiente ejemplo tiene múltiples significados.

EJEMPLO

Históricamente, las injusticias hacia determinados grupos de personas han abonado el *terreno* para cambiar las leyes.

Terreno: *n.* **1.** Sitio o espacio de tierra. **2.** Campo o esfera de acción donde pueden realizarse las cosas. **3.** Conjunto de sustancias minerales que tienen un origen común. (La segunda definición es la que corresponde al significado del contexto.)

■ *Modismos* Los *modismos* son un tipo de lenguaje muy informal que consiste en palabras inventadas o usadas con nuevos sentidos. Es, por lo general, imaginativo, vivaz y juguetón, pero de corta vida, pues alcanza la popularidad, y después muere con rapidez. En algunas ocasiones, los modismos se usan ampliamente y llegan a integrarse al conjunto de palabras de una lengua. Es muy interesante que palabras con significados opuestos, como modismos, tienen el mismo significado. Por ejemplo, *hot* y *cool* significa "excelente" o "muy agradable".

■ *Sinónimos* Los *sinónimos* son palabras que tienen el mismo o casi el mismo significado. Sin embargo, los sinónimos con frecuencia tienen matices sutiles en sus significados. Emplea un diccionario para comprobar que entiendes la diferencia exacta entre los significados de los sinónimos. Casi siempre su diferencia de significado es cuestión de la connotación. En las oraciones siguientes, es claro que *pasear* y *vagar* son sinónimos de caminar, pero mientras que caminar es un verbo general, *pasear* y *vagar* describen unas formas de movimiento específico. *Pasear* sugiere pasos azarosos y cómodos, en tanto que *vagar* una falta de objetivo y dirección.

EJEMPLOS

Nicole *caminó* por la concurrida calle.

Nicole *paseó* por la concurrida calle.

Nicole *vagó* por la concurrida calle.

Origen de las palabras
Las palabras siempre se originan, o se integran a un idioma provenientes de un lugar y en un momento determinado. El origen y la historia de una palabra—su *etimología*—con frecuencia aparecen dentro de paréntesis o corchetes en las entradas del diccionario. El siguiente ejemplo de etimología explica que el origen de la palabra *fidelidad* es el latín (L) y que adquirió su uso moderno a través del Francés Viejo (OFr) y el Inglés medieval (ME). El signo < significa "proviene de".

EJEMPLO fidelidad [ME < OFr < L *fidelitas* < *fidelis,* faithful < *fides,* faith *fidelite*]

Partes de las palabras
Hay dos tipos de palabras, las que pueden dividirse en partes, y las que no. Las palabras que no pueden subdividirse, como *gráfica, derecho, favor,* se llaman **palabras base.** Las palabras que sí pueden subdividirse, como *lavaplatos, reemplazar* y *reconocimiento.* Hay tres tipos de **partes de palabra: raíces, sufijos** y **prefijos.** Conocer el significado de las raíces, los prefijos y los sufijos puede ayudarte a determinar el significado de muchas palabras poco comunes.

■ La *raíz* es la base para formar una palabra. La raíz contiene el núcleo del significado de la palabra. A esta parte se le agregan los prefijos y los sufijos. Algunas raíces derivan de palabras base, como -*ver*- en *previsible,* y son relativamente fáciles de definir. Algunas raíces son difíciles de definir, como aquellas que hay en *diversión* (-*vers*-, "vuelta") e *inspiración* (-*spir*-, "aliento"). Estas raíces y muchas otras provienen del griego y el latín. Ver el esquema de Las raíces de uso común (Commonly Used Roots) de las páginas 1004–1005 de la Edición del estudiante.

■ Los *prefijos* son partes de palabras que se agregan adelante de una raíz. La palabra que se forma de un prefijo y de una raíz combina el significado de ambas partes. Ver el esquema de Los prefijos de uso común (Commonly Used Prefixes) de las páginas 1005–1006 de la Edición del estudiante.

■ Los *sufijos* son partes de palabras que se agregan después de la raíz. Con frecuencia, agregar o cambiar un sufijo cambiará tanto el significado de la palabra y su función como parte del discurso. Hay dos tipos de sufijos. Los primeros indican una variante gramatical de alguna clase, pero no cambian de manera significativa el significado básico de la palabra (-*s,* -*os,* -*ante,* -*ando*). Con el segundo tipo de sufijos se crean nuevas palabras. Ver el esquema de Los sufijos de uso común (Commonly Used Suffixes) de la página 1007 de la Edición del estudiante.

Estudiar y tomar pruebas

Destrezas y estrategias de estudio

El **propósito** de estudiar no sólo es pasar las pruebas y obtener buenas calificaciones. También es comprender y recordar información que puedes necesitar más adelante.

Hacer un plan de estudio

Estas sugerencias pueden ayudarte a aprovechar mejor el tiempo que dedicas a estudiar.

1. **Determina qué se espera de ti antes de estudiar.** Anota tus trabajos pendientes y fechas de entrega en un calendario o planificador. Asegúrate de entender lo que tu maestro espera que hagas o conozcas.

2. **Administra tu tiempo.** Divide las tareas más grandes en varios pasos. Por ejemplo, escribe un reporte por etapas. Elabora un horario para completar todos los pasos de tu plan.

3. **Centra tu atención en tu estudio.** Planea cuándo y dónde estudiar. Estudia en un horario regular y elige un lugar apropiado. A algunos estudiantes les ayuda escuchar música; a otros les sirve estudiar en equipo; algunos prefieren el silencio y la soledad. Descubre cuál es el método que te funciona mejor y adóptalo.

Organizar y recordar información

A continuación se presentan algunas de las estrategias más comunes que pueden ayudarte a organizar y a recordar la información cuando estudias.

Clasificar *Clasificar* es un método para ordenar la información en categorías. Al elaborar un esquema, por ejemplo, estás clasificando, porque estás organizando las ideas bajo un encabezado o título específico. Si agrupas los elementos te será más fácil identificar las relaciones entre ellos.

> **EJEMPLO** ¿Qué tienen en común las siguientes ciudades: Londres, París, Varsovia, Praga y Moscú?
>
> **RESPUESTA** Todas son ciudades europeas.

Organizadores gráficos Encontrarás útil reorganizar la información en una forma visual o gráfica, como tablas, mapas o diagramas. Los *organizadores gráficos* como los mencionados te proporcionan otra manera de pensar en el tema.

Memorización Para memorizar y recordar lo que has aprendido, practica mediante frecuentes sesiones breves de atención.

Notas sobre la lectura o clases

Tomar *notas* precisas durante la lectura o las actividades de clase, te servirá para organizar y recordar información que necesites cuando estés estudiando para las pruebas o tengas que escribir trabajos de investigación. Los pasos que a continuación se presentan te servirán para tomar notas de estudio.

Cómo tomar notas

1. Reconoce las ideas principales y anótalas como encabezados en tus apuntes.

- En clase, escucha con atención las **palabras y frases clave**, tales como *lo principal o lo más importante*. Estas palabras clave presentan conceptos básicos que debes recordar.

- En un libro de texto, observa los encabezados de capítulos y los subtítulos relacionados, listas, esquemas, líneas del tiempo e ilustraciones.

---

2. Resume lo que oyes o lees. No anotes todos los detalles. Resume, abrevia y condensa la información sobre las ideas clave, Luego, incluye detalles de apoyo para distinguirlos de las ideas clave.

---

3. Anota los ejemplos importantes. Toma nota de los ejemplos que ilustran los puntos más importantes. Anotar en tus apuntes la palabra *mitosis* o dibujar una célula que se divide, refrescará tu memoria posteriormente.

Bosquejo Un *bosquejo* puede ayudarte a organizar ideas al agruparlas en un patrón específico que las ordena y muestra la relación entre ellas. (Ver también **Bosquejos** en la página 162.)

Parafrasear *Parafrasear* es replantear las ideas de alguien más en tus propias palabras. Es más fácil que recuerdes una idea que planteaste en tus propias palabras. Parafrasear te ayuda a entender lo que lees, especialmente si el original está escrito en un lenguaje poético o muy elaborado. Una paráfrasis debe tener una extensión similar a la del pasaje original, por lo que la paráfrasis rara vez se usa en pasajes largos.

Resumir *Resumir* es abreviar información de una clase, de un libro o de apuntes. Al hacer un resumen, anotas el significado principal del material que estás estudiando. Escribir resúmenes te ayuda a pensar de manera crítica, porque tienes que analizar el material, identificar las ideas importantes y eliminar los detalles irrelevantes.

Escribir un sumario Un *sumario* es un resumen formal. Cuando escribes un sumario, abrevias un texto —como un pasaje de lectura, un capítulo, un artículo o un reporte— a sus puntos fundamentales. La mayoría de las técnicas que usas para escribir un sumario son las mismas que las destrezas para resumir. Debes seguir los siguientes pasos cuando hagas un sumario.

Cómo escribir un sumario

1. Sé breve. Un sumario pocas veces es mayor a la tercera parte del escrito original; con frecuencia, es menor.

2. No uses paráfrasis. Si simplemente pones cada oración en otras palabras, acabarás teniendo un texto tan extenso como el original.

3. Centra tu atención en los puntos principales. Evita los ejemplos, los adjetivos innecesarios y las repeticiones.

4. Usa tus propias palabras. No te limites a tomar oraciones y frases del original.

5. Sé fiel al punto de vista del autor. No añadas ningún comentario personal y no utilices expresiones como "el autor dice" o "el pasaje significa".

Destrezas y estrategias para la prueba

Pruebas en clase

El objetivo de una *prueba en clase* típica es determinar tu habilidad para aplicar las destrezas académicas que has aprendido en clase o demostrar tu conocimiento sobre temas académicos específicos. Por lo general, estas pruebas contienen una combinación de varios tipos de preguntas. Por ejemplo, una prueba puede empezar con veinte preguntas de opción múltiple con un valor de cuatro puntos cada una y concluir con dos preguntas para desarrollar con un valor de diez puntos cada una. Pueden emplearse un sinfín de combinaciones de preguntas y métodos para evaluar. La mejor manera de prepararte para una prueba de salón es familiarizarte con el material estudiado o practicar la destreza que debes demostrar durante la prueba. Asegúrate también de conocer los diferentes tipos de preguntas que puede contener una prueba como ésta.

Preguntas de redacción Para responder una *pregunta de redacción,* es necesario demostrar dos cosas. Primero, la comprensión crítica del material que estudiaste. Segundo, ser capaz de expresar tu comprensión en una composición organizada, bien escrita, de uno o más párrafos. Las preguntas de redacción son desafiantes porque se te puede pedir que comentes varias ideas en tu respuesta.

NOTA Mientras estudias para la sección de redacción de una prueba, realiza los siguientes pasos:

- Lee con cuidado tu material de estudio. Toma apuntes de las ideas principales y de los ejemplos.

- Haz un esquema del material, identifica los puntos centrales y los detalles importantes.

- Haz una prueba de práctica con posibles respuestas. Prepara una respuesta a cada pregunta.

- Revisa tus apuntes y tu libro de texto para confirmar la exactitud de tus respuestas. Evalúa y revisa tus respuestas.

Cómo responder las preguntas de redacción

1. **Da un vistazo a la prueba.** Revisa cuántas preguntas se espera que respondas. Si tienes que escoger entre varios puntos, decide cuáles son los que podrías contestar mejor. Entonces, administra tu tiempo para preparar y escribir cada respuesta. (Recuerda que algunas pruebas de redacción tienen un tiempo límite.)

2. **Lee todas las preguntas con atención.** Puede haber preguntas formadas por varias partes. Utiliza una pluma o marcador para resaltar o poner dentro de un círculo los términos clave de cada pregunta.

3. **Pon atención en los verbos principales de las preguntas.** Las preguntas pueden emplear verbos para pedirte que realices tareas específicas. Aprende a familiarizarte con los verbos más comunes en las pruebas de ensayo. (Ver la tabla de **Verbos claves que aparecen en las preguntas de una redacción** que se encuentra a en la siguiente página.)

4. **Dedica cierto tiempo para planear tus respuestas, usa estrategias previas a la escritura.** Haz una lluvia de ideas, anotaciones o un esquema que te ayude a definir tus respuestas.

5. **Evalúa y revisa conforme escribes.** Como estás en una prueba, es poco probable que tengas tiempo de hacer más de un borrador para responder. Reserva tiempo para revisar tus respuestas y corregir los errores de ortografía, puntuación o gramática.

Verbos claves que aparecen en las preguntas de una redacción		
Verbo clave	**Tarea**	**Ejemplo**
Analizar	Observar cuidadosamente las partes de algo para ver cómo funcionan y cómo se relacionan.	**Analiza el** personaje principal en la obra *La letra escarlata* de Nathaniel Hawthorne.
Argumentar	Tomar una posición respecto a un tema y dar razones y evidencias para sostener tu punto de vista u opinión.	**Argumenta** si tu escuela debe desanimar a los estudiantes de trabajar los fines de semana.
Comentar	Examinar con detalle.	**Comenta** el término *Romanticismo.*
Comparar o contrastar	Señalar las diferencias o semejanzas entre cosas, personas o ideas.	**Compara** el Parlamento Británico con el Congreso como cuerpos legislativos.
Definir	Dar las características específicas que hacen que una idea o alguna cosa sean como son.	**Define** el término *ósmosis* en relación con la permeabilidad de las membranas.
Demostrar	Proporcionar ejemplos que sostengan un punto.	**Demuestra** cómo un metal conduce una carga eléctrica.
Describir	Crear una imagen con palabras.	**Describe** la controvertida recepción de la obra de Walt Whitman, *Hojas de hierba.*
Enumerar	Enumerar todos los pasos o detalles en orden acerca de un tema.	**Enumera** los sucesos que precedieron a la 19a. Enmienda.
Explicar	Dar razones o hacer que un significado sea claro.	**Explica** porque los ángulos congruentes son complementarios.
Identificar	Señalar personas, lugares, cosas y características especificas.	**Identifica** los miembros del gabinete presidencial y sus obligaciones.
Interpretar	Dar el significado o significación de algo.	**Interpreta** la importancia de la caída del muro de Berlín.
Resumir	Hacer una breve revisión de conjunto de los puntos principales.	**Resume** las consecuencias del efecto invernadero.

Aunque existe una amplia variedad de preguntas de redacción, casi todas las respuestas correctas tienen las mismas cualidades. A continuación, se presentan las características de éstas:

- El ensayo responde a la pregunta.

- El ensayo tiene una introducción, un desarrollo y una conclusión.

- Las ideas principales y los detalles de apoyo se presentan claramente y están bien organizadas en el desarrollo.

- Las oraciones están completas y bien escritas.

- No hay errores de ortografía, puntuación o gramática.

Preguntas de emparejar

En las *preguntas de emparejar,* debes unir con una línea los elementos de dos listas.

Instrucciones: Relaciona los elementos de las dos columnas escribiendo la letra de cada título frente al nombre del autor.

C	1. Hawthorne	A.	*I'm Nobody!*
E	2. Emerson	B.	*Little Women*
D	3. Whitman	C.	*The Scarlet Letter*
B	4. Alcott	D.	*Leaves of Grass*
A	5. Dickinson	E.	"Self-Reliance"

Cómo responder las preguntas de emparejar

1. **Lee las instrucciones con atención.** Algunas veces las respuestas pueden usarse más de una ocasión.

2. **Revisa las columnas y empareja primero las preguntas que conozcas.** De esta manera tendrás tiempo para evaluar las respuestas de las que estás menos seguro.

3. **Completa la relación.** Haz tu mejor suposición en las preguntas que falten por responder.

Preguntas de opción múltiple

En las *preguntas de opción múltiple,* tienes que elegir la respuesta correcta entre varias opciones.

1. ¿Cuál de los sucesos siguientes no ocurrió en 1912?

    A. El *Titanic* chocó contra un iceberg y se hundió en el océano Atlántico.

    B. Nuevo México y Arizona fueron admitidos como estados de los Estados Unidos.

    C. Los Estados Unidos empezó a participar en la Primera Guerra Mundial.

    D. Woodrow Wilson fue electo presidente de los Estados Unidos.

Cómo responder las preguntas de opción múltiple

1. **Lee cada planteamiento con atención.** Asegúrate de comprender la pregunta antes de leer las opciones.

2. **Observa los modificadores, como *no,* *siempre,* y *nunca,* porque estas palabras limitan o reducen la respuesta.** En el ejemplo anterior, debes elegir el suceso que **no** ocurrió en el año 1912.

3. **Lee todas las opciones antes de elegir una de ellas.** Algunas veces la respuesta tiene una o más opciones, como "Tanto A y B" o "Todas las anteriores". Recuerda, en el ejemplo anterior estás buscando un suceso que no ocurrió, así que debes analizar las respuestas cuidadosamente.

4. **Elimina las respuestas no razonables para reducir las opciones.** Algunas respuestas son evidentemente incorrectas, mientras que otras, de alguna manera, se relacionan en forma directa con la respuesta correcta. Si ya sabes que el *Titanic* se hundió en 1912, y estás buscando el hecho que no ocurrió en 1912, fácilmente puedes descartar la respuesta A.

5. **De las opciones restantes, selecciona la que creas más razonable.** La respuesta correcta es C.

Preguntas de respuesta corta
Las *preguntas de respuesta corta* te piden que expliques lo que sabes de un tema de la manera más breve posible. En general, las preguntas de respuesta corta requieren una respuesta específica de una o dos oraciones. (Algunas preguntas de respuesta corta son mapas o diagramas para titular o espacios en blanco para llenar con una o más palabras.)

EJEMPLO

1. ¿Cuáles son algunos de los efectos de la electrificación de las ciudades de los Estados Unidos?

Respuesta:

1. La electrificación produjo un nivel más elevado de vida. La electrificación permitió a las personas confiar más en las máquinas e incluso leer y trabajar de noche, así que se convirtieron en unos trabajadores más productivos.

Preguntas de verdadero o falso
Las *preguntas de verdadero o falso* te piden que determines si una declaración es verdadera o falsa.

EJEMPLO

1. Ⓥ F Las *claves* son instrumentos de percusión que mantienen diversos patrones rítmicos fijos en las orquestas latinoamericanas de baile.

Cómo responder preguntas de verdadero o falso

1. **Lee la pregunta entera cuidadosamente.**
2. **Busca los calificativos.** Palabras como *siempre* o *nunca* califican ó limitan el significado de una oración.
3. **Elige una respuesta según los siguientes principios:**
   - Si alguna parte del enunciado es falsa, el enunciado entero es falso.
   - Un enunciado es verdadero sólo si es verdadero siempre y enteramente.

Preguntas de lectura crítica
Las pruebas estandarizadas pueden contener un número de preguntas que miden tu habilidad para analizar e interpretar un pasaje escrito. Estas *preguntas de lectura crítica* (a veces llamadas *preguntas de lectura basadas en el texto*) requieren que observes críticamente un pasaje escrito en particular para hallar su significado, propósito u organización de la selección. Además, estas preguntas pueden pedirte que evalúes la efectividad del pasaje para transmitir el significado deseado por el autor. Las preguntas en las pruebas de lectura crítica se concentran ya sea en un enfoque específico del pasaje o en un elemento dentro de éste. El esquema siguiente muestra los diferentes tipos de preguntas en las pruebas de lectura crítica y las acciones que debes tomar para responderlas. Para más información y práctica con alguno de los elementos indicados en los topos, ver las páginas de la Edición del estudiante a las que se hace referencia entre paréntesis después de cada ejemplo.

Preguntas para una prueba de lectura crítica

En las **preguntas de estrategia retórica,** o **preguntas de evaluación,** juzgas la efectividad de las técnicas usadas por el autor de un pasaje. Estas preguntas usualmente te piden identificar y analizar

- el público al que se dirige el autor
- las opiniones del autor (página 823)
- el propósito del autor (página 988)
- el tono o punto de vista del autor (página 828 y 823)

(Ver también página 775.)

En las **preguntas de inferencia,** o **preguntas de interpretación,** sacas conclusiones o haces inferencias acerca del significado de la información presentada en un pasaje. Estas preguntas de la prueba usualmente te piden identificar

- las conclusiones o inferencias basadas en el material dado (página 689)
- las conclusiones específicas o inferencias que pueden ser sacadas sobre el autor o el tema de un pasaje (página 689)

(Ver también la página 990.)

En las **preguntas de organización,** o **preguntas de la idea principal** o **de detalle,** identificas las técnicas de organización que el escritor usa en un pasaje. Frecuentemente estas preguntas cubren

- la idea principal de un pasaje (página 908)
- la disposición de los detalles de apoyo (página 1063)
- el uso que hace el autor de determinadas estrategias de escritura (página 775)
- las técnicas usadas para concluir el pasaje (página 1064)
- los elementos de transición que hacen que el pasaje tenga coherencia (página 1079)

(Ver también la página 523 y la página 993.)

En las **preguntas de estilo,** o **preguntas de tono,** analizas un pasaje para evaluar el estilo que utiliza el autor. Estas preguntas de la prueba usualmente te piden identificar

- el público al que se dirige el autor
- el estilo del autor
- la voz y el tono del autor (página 1079)

(Ver también la página 828.)

En las **preguntas de síntesis,** demuestras tu conocimiento de cómo las partes de un pasaje se integran para formar un todo. Estas son, por lo tanto, una clase de preguntas de inferencia, aunque más generales. Estas preguntas por lo general te piden que interpretes

- el significado acumulativo de los detalles en un pasaje (página 594)
- las técnicas usadas para unificar detalles (página 522)

En las **preguntas de vocabulario en contexto,** infieres el significado de una palabra desconocida al mirarla en su contexto. (página 560)

(Ver también la página 999.)

GUÍA DE CONSULTA RÁPIDA

El siguiente es un **pasaje de lectura** típico, seguido de un ejemplo de preguntas de prueba basadas en este pasaje.

Para finales de 1855, Walt Whitman estaba en las etapas finales de su "maravilloso y ponderoso libro", *Hojas de hierba (Leaves of Grass)*. Leyó las páginas de imprenta a la luz de una vela. Cuando el poeta Hart Crane comenzó a trabajar en *El puente (The Bridge)*, unos sesenta años más tarde, trabajó con luz eléctrica. Antes de 1920, pocas ciudades de los Estados Unidos tenían electricidad. En la década de 1930, casi todas las ciudades estaban iluminadas.

Henry Adams vio su primer generador eléctrico, o dínamo, en la Gran Exposición de París de 1900. Debido a que podían producir electricidad barata, estos dínamos tuvieron uso comercial. Con el tiempo, se usaron para generar los brillantes arcos eléctricos de San Francisco, Nueva York y Filadelfia, reemplazando así las lámparas de gas en las calles, que eran el sello distintivo de las ciudades de los Estados Unidos del siglo diecinueve.

Sin embargo, los arcos de luces eran simplemente inadecuados para el uso doméstico por la intensidad de su brillo. El crédito por el descubrimiento y la promoción de la luz incandescente usada en las bombillas eléctricas caseras se debe a Thomas Alva Edison. Financiados por un grupo de adinerados seguidores, Edison y su equipo diseñaron un sistema completo para proporcionar electricidad: filamentos, cableado, dínamos eficientes, medidas de seguridad e incluso las conexiones y enchufes. En 1881, Edison develó su famosa estación Pearl Street en la ciudad de Nueva York. Los trabajadores de Edison tendieron cables hasta una milla cuadrada alrededor de la calle 257 Pearl, y en hogares particulares e instalaron medidores para medir el uso de la electricidad. La estación Edison eventualmente abastecería de energía a más de 400,000 lámparas en lugares como Chicago, Nueva Orleans, Milán y Berlín.

Al principio, la electricidad en los hogares era un lujo caro para la élite. En 1907, por ejemplo, sólo el ocho por ciento de los hogares de los Estados Unidos tenía electricidad. Sin embargo, los generadores a gran escala y un mayor consumo permitieron gradualmente que los costos disminuyeran. Para 1920, el treinta y cuatro por ciento de los hogares de los Estados Unidos tenía electricidad y, para 1941, casi el ochenta por ciento tenía servicio de electricidad. Hoy en día, simplemente asumimos la electricidad como un hecho.

A la luz de una vela, Whitman escribió su poesía a mano. Con luz fluorescente, un poeta moderno teclea poesía en una computadora. La electrificación, la comunicación, la urbanización: todos son procesos y sistemas que afectan nuestras vidas. Sólo entendiendo la historia de estos desarrollos tecnológicos podemos verdaderamente entender su importancia.

1. De acuerdo con el pasaje de lectura, ¿en qué orden (del más antiguo al mas reciente) ocurrieron los siguientes sucesos?

I. Ochenta por ciento de los hogares en los Estados Unidos tienen electricidad.

II. Walt Whitman escribe *Leaves of Grass.*

III. Henry Adams observa el dínamo en la Gran Exposición.

IV. Edison inicia la operación de la estación de la calle Pearl en Nueva York

(A.) II, IV, III, II

B. II, III, IV, I

C. II, I, II, IV

D. II, IV, I, III

[Ésta es una pregunta de organización; requiere que identifiques la secuencia de estos sucesos en el tiempo y los organices en orden cronológico.]

2. La palabra *élite* en el cuarto párrafo puede definirse como

A. una variedad de tipografía que se encuentra en una máquina de escribir

B. un grupo de personas arrogantes y testarudas

C. las últimas personas en aceptar una idea

(D.) los miembros más adinerados de un grupo social

(Ésta es una pregunta de vocabulario en contexto; ésta requiere que examines el contexto en el que aparece la palabra en el pasaje para determinar la definición apropiada.)

3. Luego de leer el pasaje, uno de tus compañeros de clase escribió el siguiente párrafo.

En los hogares, se consideraba que las mujeres eran las que se beneficiaban de la electrificación. Las planchas, las aspiradoras, los calentadores de agua, los lavaropas y los refrigeradores: todos eran aclamados como invenciones que facilitarían la vida de las mujeres. Sin embargo, ello también reforzó la idea de que el lugar de las mujeres era el hogar. Estos aparatos era de hecho artefactos que ahorraban trabajo, pero sólo si alguien permanecía en casa para usarlos. Es recientemente cuando nos hemos cuestionado si estos llamados avances tecnológicos fueron avances del todo.

Para dejar en claro su idea, tu compañero critica la idea de que los avances tecnológicos

A. frecuentemente son invisibles

B. frecuentemente son caros

(C.) son beneficiosos para todos

D. existen independientemente uno del otro

(Ésta es una pregunta de estrategia retórica; requiere que identifiques los puntos principales del pasaje original y que reconozcas cuál de estos puntos es debatido por tu compañero.)

4. La mejor interpretación de la frase "teclea poesía en una computadora" es que la electrificación es una forma de progreso que

A. amenaza nuestra conciencia histórica

(B.) influye en la manera en que vivimos nuestra vida diaria

C. mejora nuestra habilidad de escribir poesía

D. afecta principalmente a estudiantes

(Ésta es una pregunta de inferencia; te pide que examines el contexto de las palabras para explicar su significado en el pasaje.)

5. Se puede inferir de la descripción de Thomas Alva Edison que era

   A.   un hombre que representaba el siglo diecinueve

   B.   un hombre que cambiaba sus ideas frecuentemente

   C.   un hombre organizado y creativo

   D.   un capitalista preocupado sólo por el bienestar de su clase

(Ésta es una pregunta de síntesis; requiere que leas, en el pasaje como un todo, sobre los esfuerzos necesarios para electrificar una pequeña zona urbana. Luego, sumando todos los detalles, podrías inferir que Edison, el director del proyecto, era un hombre con determinación y un gran poder de organización.)

6. Los lectores de este pasaje de lectura se inclinarían a describirlo como

   A.   informal

   B.   informativo

   C.   inspirador

   D.   biográfico

(Ésta es una pregunta de estilo; requiere que analices la manera en que el pasaje fue escrito para determinar qué tipo de escritura representa.)

NOTA A veces, te será útil comparar las palabras y frases en las preguntas con aquellas en el pasaje de lectura. Si, no obstante, las palabras de la pregunta no se usan en el pasaje de lectura, debes sacar tus propias conclusiones. Por ejemplo, la pregunta 2 en el esquema anterior menciona una palabra (*élite*) que se usa en el cuarto párrafo del pasaje de lectura. La pregunta 6, en cambio, no te lleva a una sección específica del pasaje. En su lugar, debes sacar tus propias conclusiones del pasaje como un todo.

Preguntas de escritura basadas en el texto

Las *preguntas de escritura basadas en el texto* son similares a las preguntas de redacción porque requiere que escribas varios párrafos en un período determinado de tiempo. La gran diferencia clave es que no tienes conocimiento previo acerca del tema que te pedirá escribir la pregunta. Muchos estados incluyen preguntas de escritura basadas en el texto como una parte central de sus pruebas estandarizadas. Estas preguntas pueden pedirte que escribas una redacción persuasiva, informativa o descriptiva como respuesta a una pregunta sobre un tema amplio.

EJEMPLO

Muchas escuelas secundarias requieren que los estudiantes firmen un código de honor al inicio del año escolar. El documento es un contrato entre el estudiante y la escuela, en el cual el estudiante se compromete a nunca hacer trampa en las pruebas y a nunca hacer plagios en sus tareas de redacción. Escribe una redacción persuasiva en la que argumentes a favor o en contra del uso de este código de honor en las escuelas.

Puedes encontrar otra variación de las preguntas de escritura basadas en el texto en las pruebas de nivel. Las redacciones escritas en respuesta a estas preguntas utilizan detalles tomados de tu conocimiento sobre un área específica de un tema. Por ejemplo, una pregunta para una prueba de nivel de inglés puede requerir que sepas acerca de los elementos literarios y tengas conocimiento luego de haber leído determinadas novelas u obras teatrales. El siguiente es un ejemplo:

Elige un personaje secundario que juegue un papel importante en un trabajo literario destacado. En una redacción bien organizada, describe cómo el autor refuerza el mensaje de su trabajo a través de este personaje. Evita hacer un resumen de la trama. No bases tu redacción en una película, programa de televisión o cualquier otra adaptación de un trabajo.

Cómo responder a una pregunta de escritura basada en el texto

1. **Lee la pregunta cuidadosamente y determina qué se te está preguntando.** Busca los verbos clave que indiquen si tu respuesta debe ser persuasiva, informativa o descriptiva. (Ver también **Verbos claves que aparecen en las preguntas de redacción** en la página 150.)

2. **Planea tu respuesta utilizando técnicas previas a la escritura como la lluvia de ideas y las agrupaciones.** (Ver también **Técnicas previas a la escritura** en la página 1073 de la Edición del estudiante.)

3. **Evalúa y revisa tu respuesta a medida que escribes.** Asegúrate de que tu respuesta tiene la idea principal del tema, detalles de apoyo, palabras y frases de transición entre las ideas y una conclusión clara.

NOTA Es una buena idea familiarizarse con los tipos de escritura que requieren las pruebas de escritura basada en el texto y practicar escribiendo las respuestas. Si es posible, practica con preguntas que han aparecido anteriormente en las pruebas estandardizadas de tu escuela; generalmente disponibles a través de tu consejero escolar o la biblioteca. Usa un cronómetro para simular las restricciones de tiempo de una prueba verdadera.

Escribir

Destrezas, estructuras y técnicas

Escribir bien requiere de entusiasmo y práctica, así como de comprender ciertas formas básicas y algunas estrategias. Si quieres convertirte en un mejor escritor, usa las ideas y la información que a continuación se explica.

Cartas comerciales El propósito de una *carta comercial* es participar en algún asunto de negocios, como solicitar trabajo, mercancías o servicios. Una carta comercial no sólo debe sonar profesional, sino que también debe verse profesional; para conseguir esto, utiliza la siguiente guía.

Guía de cartas comerciales
Usa papel blanco, sin rayas, de 8 1/2 x 11 pulgadas.
Escribe tu carta en una computadora, usa un solo espacio entre líneas y una línea más entre los párrafos. Si tienes que escribirla a mano, que sea con letra clara y tinta azul o negra. Revisa que no tenga errores de ortografía o de mecanografía.
Centra el texto en el papel para que tenga márgenes iguales a los lados y arriba y abajo.
Usa únicamente un lado del papel. Si tu carta no cabe en una sola hoja, deja un margen de una pulgada en la parte inferior y al menos dos líneas libres en la segunda.
Evita tachaduras, borrones y otros signos de falta de cuidado al escribir.
Emplea un tono cortés, respetuoso y profesional.
Escribe en un lenguaje formal y de acuerdo con la norma educada. Evita los modismos, las contracciones y abreviaturas innecesarias.
Incluye toda la información necesaria, pero trata el asunto de inmediato. Asegúrate de que tu lector sabe por qué le escribes y qué le pides.

- **Partes de una carta comercial** Una carta comercial tiene seis partes, por lo general dispuestas en la hoja en alguno de los dos estilos que se describen a continuación. En *bloque,* las seis partes empiezan en el margen izquierdo y los párrafos no llevan sangría. En *bloque modificado,* el encabezado, el cierre y la firma empiezan a la derecha del centro de la hoja. Las demás partes empiezan en el margen izquierdo y todos los párrafos llevan sangría. (Para ver las ilustraciones que acompañan a la explicación, favor de referirse a la página 1058 de la Edición del estudiante.)

1. El *encabezado* por lo regular tiene tres líneas:
   - tu dirección o número del apartado postal
   - tu ciudad, estado y código postal
   - la fecha en la que se escribe la carta

2. La *dirección del destinatario* proporciona el nombre y la dirección de la persona o de la empresa a quien se escribe. Usa un título de cortesía (como *Sr., Sra.* o *Srta.*) o un título profesional (como *Dr.* o *Lic.*) antes del nombre de la persona. Incluye el cargo de la persona a quien le escribes después de su nombre. Por último, pon el nombre de la empresa u organización de que se trate y la dirección de la misma. Si no conoces el nombre de la persona a quien te estás dirigiendo, escribe su cargo, por ejemplo—si escribes al director de tu estación de radio favorita para hacer una petición al productor de música matutina—anota sólo el cargo, (director, si es el caso), en lugar del nombre de la persona.

3. La *salutación* es tu saludo. Si le escribes a una persona en especial, comienza con *Estimado* seguido de su título profesional o de cortesía, y de su apellido. Termina con dos puntos. Si no conoces el nombre de la persona, emplea un saludo general, como *Estimado Señor o*

Señora. Otra opción es usar el nombre del departamento o el cargo, con o sin la palabra *Estimado (a).*

4. El *cuerpo,* la parte principal de tu carta, contiene el mensaje. Si requiere más de un párrafo, deja una línea adicional entre ellos.

5. El *cierre* es el final. Siempre debes terminar tus cartas con una frase de cortesía. Algunos cierres apropiados son *Respetuosamente, Afectuosamente y Sinceramente.* Emplea mayúsculas sólo en la primera palabra del cierre, y pon una coma después de escribirla.

6. Tu *firma* debe escribirse a mano con tinta, directamente debajo del cierre y encima de tu nombre escrito o mecanografiado. Siempre firma con tu nombre completo sin títulos.

NOTA Si incluyes más de una carta en tu sobre—por ejemplo, un resumen curricular, un folleto o una muestra de escritura—deja dos líneas en blanco luego de la firma y escribe "adjunto" o "adj.", más el tipo de material que estás adjuntando. "Adjunto" debe estar alineado a la izquierda.

Composición Una composición es un texto que consta de varios párrafos. Una composición debe tener tres partes: la *introducción,* el *cuerpo* y la *conclusión.* Cada parte cumple una función específica y se relaciona con las demás para comunicar la idea del escritor, la misma que se plantea en la *tesis.*

- **Introducción** Con frecuencia, la introducción empieza con información general, después es más específica y termina con la tesis. La gráfica en la página 1061 de la Edición del estudiante te ayudará a visualizar su organización.

La *introducción* de una buena composición debe cumplir tres objetivos:

1. **Captar la atención del lector.** Tu introducción debe picar la curiosidad de los lectores y animarlos a continuar la lectura.

2. **Definir el tono o manifestar tu actitud respecto del tema.** El *tono* puede ser formal, informal, humorístico o serio — incluso molesto.

3. **Presentar la tesis.** El *planteamiento de la tesis* se forma con una o dos oraciones que anuncian y delimitan el tema y la idea principal, unificándolos. El planteamiento de la tesis es como la oración temática en un párrafo; es una especie de nexo que mantiene juntos los detalles. También les permite a tus lectores saber exactamente qué abordarás en tu composición.

   - Revisa los datos y detalles en tus notas preliminares. Identifica la idea principal o unificadora y piensa en cómo los detalles deben sustentarla.

   - Revisa tu planteamiento de tesis preguntándote: ¿Cuál es mi tema? ¿Qué es lo que trato de decir acerca de él?

   - Afina tu enfoque y presenta una idea clara y específica.

   - Evalúa tu tesis teniendo en mente a tu público. ¿Se interesarán tus lectores en tu tema y los argumentos que planteas? (Ver el esquema de Técnicas de introducción efectiva en la página 1062 de la Edición del estudiante.)

■ **Cuerpo** El *cuerpo* de una composición desarrolla y elabora sus ideas principales. En las composiciones cortas, como las que escribes en la escuela, cada punto importante se desarrolla en un párrafo. En las composiciones largas y más complejas, se requiere más de un párrafo para desarrollar la idea central. Todos los párrafos del cuerpo de la composición en su conjunto sustentan el planteamiento de la tesis, es decir, la idea fundamental de la composición. Ten presente la siguiente guía cuando tengas que escribir el cuerpo de tu composición.

1. **Organiza tu información** de manera que tenga sentido para tus lectores y sea apropiado para tu tema. Una organización meditada y cuidadosa da **coherencia** a tu escrito.

2. **Elimina los detalles que no sustenten tu tesis.** Esto confiere *unidad* a tu escrito: todos los detalles se relacionan con una idea central.

3. **Muestra la conexión entre las ideas** mediante *referencias directas* y *nexos*. Estos sirven de indicadores para guiar al lector a través de la composición.

■ **Conclusión** La *conclusión* es la parte final de tu escrito. Una buena conclusión es aquella que presenta un final satisfactorio y apropiado a tu ensayo. Con frecuencia, una conclusión empieza con un nuevo planteamiento específico de la tesis y se desplaza hacia un punto de vista más amplio, algunas veces termina con una pregunta que invita a la reflexión o con una especulación acerca del futuro. La gráfica en la página 1063 de la Edición del estudiante te ayudará a risualizar la organización.

Para la conclusión, sigue estas recomendaciones:

1. **Da a los lectores la sensación de que la composición está completa.** Los lectores han invertido en tus ideas al leer tu composición completa. Sé justo con ellos redondeando las ideas que mencionaste antes.

2. **Refuerza la idea principal.** Recuerda que el planteamiento de la tesis tuvo el propósito de establecer la idea principal y mostrar a los lectores la dirección que tomaría tu escrito. Un nuevo planteamiento final o resumen de la tesis confirma que llegaste a donde querías.

3. **Resume los puntos principales.** Resumiendo los puntos principales de tu composición, ayudarás a tus lectores a recordar lo que leyeron.

4. **Ofrece una solución o haz una recomendación.** Si has tomado una posición respecto al tema de tu composición, debes enfatizar dicha posición ofreciendo una solución o recomendando una línea de acción en la conclúsion. Incluir una posición o recomendación al concluir tu ensayo, aclarará cuánto te importa el tema tratado. (Ver el esquema de Técnicas de conclusión efectiva en la página 1064 de la Edición del estudiante.)

Correo electrónico El *correo electrónico* o *e-mail* es el envío de correspondencia mediante una computadora en lugar de usar el correo tradicional. El empleo de las computadoras y de Internet para comunicarse por correo, ya sea tanto en asuntos personales como comerciales, ha proliferado en los años recientes. Ya que este crecimiento parece que continuará, es importante que conozcas cómo usar apropiadamente el correo electrónico. Éste puede usarse para escribir cartas personales e informales o mensajes de negocios. En vista de su

Guía de uso del correo electrónico

- Siempre sé cortés en tus mensajes, aunque conozcas a la persona a quien escribes. Las palabras o frases rudas se conocen como *flamas.* Con frecuencia, las flamas generan respuestas rudas, ya que existe una gran posibilidad de que otras personas reciban tu mensaje desagradable, además de la persona a quien lo enviaste.

- Evita el uso de mayúsculas en tus mensajes. LAS MAYÚSCULAS REPRESENTAN GRITOS. Nadie desea escuchar gritos en el ciberespacio. (Para dar énfasis, usa asteriscos a ambos lados de las partes que deseas resaltar por ejemplo, ¿Qué piensas de la *metáfora* del capítulo 2?)

- Rara vez usa los emoticonos y nunca los uses en correos formales. Los *emoticonos* son combinaciones de símbolos que, cuando ladeas tu cabeza hacia la izquierda, parecen caras y sugieren sentimientos que las palabras no demuestran de igual manera. Por ejemplo, el emoticono :-) sugiere una sonrisa o la frase "sólo estoy bromeando". Usa estos símbolos sólo en los mensajes informales.

- Siempre pon atención a las direcciones que escribes. Asegúrate de enviar los mensajes apropiados a las personas indicadas.

- Completa la línea del asunto antes de enviar tu mensaje. Esto ayudará al lector a decidir si debe dar prioridad a tu mensaje, si es uno de los muchos mensajes que ha recibido.

- Evita copiar y enviar mensajes sin el permiso de la persona que escribió el mensaje. Recuerda que los mensajes privados sólo debes leerlos tú.

- Escribe mensajes concisos y directos. Limítate al espacio de una pantalla o menos. Desplazar la pantalla para leer un mensaje demasiado largo puede ser tedioso.

- Usa listas numeradas, con balas o símbolos, y con sangría para facilitar la lectura del documento en pantalla. Las listas con balas son especialmente útiles para presentar varias preguntas o puntos.

- Siempre revisa la ortografía, gramática y puntuación de tu mensaje, además del uso correcto del idioma.

- Incluye saludos como "Estimado doctor Brunelli" si escribes por primera vez a alguien que no conoces. Incluir una despedida, como *Sinceramente* o *Gracias,* seguida de tu nombre completo, siempre se considera educado.

facilidad de uso, que incluye la escritura, el envío y la recepción, muchos usuarios ignoran ciertas reglas que lo regulan. Un contenido y un formato informales son aceptables cuando se escribe un mensaje a una persona de confianza o a un grupo de charlas donde los comentarios se analizan en un ambiente relajado. Sin embargo, cuando se escribe a una persona no conocida con propósitos de negocios o de investigación, es necesario acatar las normas que se listan en la página anterior. Recuerda: las reglas de etiqueta en línea o "Netiqueta" enfatizan la importancia de los buenos modales y el sentido común en el ciberespacio, justo como la etiqueta funciona en la vida cotidiana.

Formularios Cuando empieces a trabajar o empieces a hacer solicitudes en las universidades, se te pedirá que llenes formularios o solicitudes. Las técnicas siguientes te ayudarán a llenarlos por completo y con exactitud.

- Lee las instrucciones con cuidado antes de empezar a llenarlo.

- Escríbelo a máquina o a mano con letra clara, utilizandos tinta azul o negra, a menos que se especifique usar lápiz.

- Anota toda la información que se te pida. Si una pregunta no te concierne, escribe *no aplica* en lugar de dejar el espacio en blanco.

- Ten cuidado de anotar los datos en el espacio correcto de la forma. Por ejemplo, algunos formatos piden primero el apellido, otros solicitan el nombre.

- Cuando hayas terminado, revisa la forma completa y corrige claramente los errores.

- Presenta el formato a la persona indicada.

- Cuida que la forma se conserve limpia, sin arrugas ni tachones.

(Para ver la ilustración que acompaña a la explicación, favor de referirse a la página 1067 de la Edición del estudiante.)

Manuscritos Cuando das a conocer de manera formal tu composición con otras personas, recuerda que es importante cuidar su presentación.

Guía para manuscritos
Utiliza sólo un lado de la hoja de un papel de 8 1/2 x 11 pulgadas.
Escribe con tinta azul o negra, o mecanografíalo.
Si lo escribes a mano, no te saltes líneas. Si lo mecanografías, utiliza el doble espacio.
Deja márgenes de una pulgada arriba, abajo y a los lados de la hoja.
Sangra la primera línea de cada párrafo.
Numera todas las páginas, con excepción de la primera. Pon el número a la derecha en la esquina superior o inferior.
Todas las páginas deben estar limpias y bien hechas. Puedes hacer algunas ligeras correcciones con corrector.
Sigue las instrucciones de tu maestro o maestra en cuanto a la colocación de tu nombre, el grupo y el nombre del escrito.

Bosquejos Un *bosquejo* es un plan, una manera de agrupar y organizar información para mostrar la relación entre las ideas, con el fin de que los escritores las presenten en forma clara cuando hagan sus borradores. Cuando un escrito está terminado, un esquema formal puede funcionar como una especie de índice, así como de resumen.

- **Bosquejos formales** Un *bosquejo formal* es una lista bien estructurada, claramente organizada, del contenido de un ensayo. Tiene un patrón establecido, y en él se usan números y letras para identificar los títulos y subtítulos, o los niveles de subordinación y dependencia de las ideas. Puede ser un **bosquejo de temas,** que use únicamente palabras o frases, o un **bosquejo de oraciones,** donde se usen oraciones completas para cada punto. Los bosquejos formales se pueden emplear para planear un escrito, pero también pueden escribirse después de haber terminado de escribir un ensayo para darle al lector un panorama general de la obra. A continuación se muestra un ejemplo de un bosquejo formal acerca de cómo buscar empleo.

Título: Cómo encontrar empleo
Tesis: Si quieres estar entre los millones de jóvenes que están empleados parte de su tiempo sigue estas recomendaciones para aumentar tus posibilidades de éxito cuando busques y consigas un empleo

I. Noticias de empleo
  A. Pistas
    1. Avisos
    2. Anuncios de periódico
    3. Agencias de colocaciones
  B. Contactos
    1. Patrones anteriores
    2. Amigos y familiares
    3. Relaciones de negocios
    4. Consejero escolar
II. Solicitudes de empleo
  A. Propósito
  B. Técnicas
    1. Primera impresión
    2. Destrezas y talentos
  C. Seguimiento

■ **Bosquejos informales o esbozos** Un *esbozo* o *bosquejo preliminar* proporciona una idea previa de las clases y orden de datos que quieres incluir en tu composición. Los primeros planes no tienen un formato definido. Sólo tienes que agrupar las ideas o los datos, y ordenar los grupos. Para clasificar la información, hazte las siguientes preguntas:

■ *¿Qué partes se relacionan entre sí?*

■ *¿Qué tienen en común?*

■ *¿Qué elementos no tienen relación con los demás?*

Para cada grupo, escribe un encabezado que muestre la relación entre sus elementos. Enseguida, ordena la información de manera que tenga sentido para los lectores: puedes usar el *orden cronológico, orden espacial, orden lógico* u *orden de importancia.* Algunos trabajos se adecuarán fácilmente a alguno de estos patrones de organización; otros, quizá puedan combinar dos o más de ellos. Pregúntate: "¿Es comprensible el propósito y el orden de cada grupo de elementos?"

Los esquemas informales pueden ser listas, mapas conceptuales o cuadros. Lo importante es que muestre cómo se relacionan las ideas entre sí. También recuerda que tu tesis y los detalles guían el tipo de organización que escojas para ordenar tus ideas. El diagrama muestra un ejemplo de un esquema informal de un ensayo acerca de los jóvenes que buscan empleo. (Para ver la ilustración que acompaña a la explicación, favor de referirse a la página 1071 de la Edición del estudiante.)

Un vistazo a la gramática

 A

abreviatura Una abreviatura es una forma corta de escribir una palabra o frase.

■ **Uso de la mayúscula en**

TITULOS USADOS CON LOS NOMBRES	**M**s.	**L**t. **C**ol.	**S**r.	**RN**
TIPOS DE ORGANIZACIONES	**L**td.	**I**nc.	**D**ept.	**C**orp.
PARTES DE DIRECCIONES	**A**ve.	**S**t.	**D**r.	**P.O. B**ox
NOMBRES DE ESTADOS				
[sin código postal]	**L**a.	**F**la.	**M**ich.	**S. D**ak.
[con código postal]	**LA**	**FL**	**MI**	**SD**
HORAS	**A.M.**	**P.M.**	**B.C.**	**A.D.**

■ **puntuación de**

CON PUNTOS (Ver **los ejemplos anteriores.**)

SIN PUNTOS	**SAT**	**DNA**	**NCAA**	**IRS**	**DC** (D.C. without ZIP Code)
	MI	**mi**	**g**al	**°F**	**mm** [Excepto: inch = in.]

adjetivo Un adjetivo modifica a un sustantivo o a un pronombre.

EJEMPLO The Schmidts live in a **magnificent, spacious** apartment.

adverbio Un adverbio modifica a un verbo, a un adjetivo o a otro adverbio.

EJEMPLO **"I really** like that writing desk," said Emily. "It's **almost** perfect."

antecedente Un antecedente es la palabra o palabras que un pronombre representa.

EJEMPLO At **Patti** and **Paul's** anniversary dinner, **Adrianna** sang a song that **she** had written especially for **them**. [*Patti y Paul* son los antecedentes de *them. Adrianna* es el antecedente de *she.*]

apositivo Un apositivo es un sustantivo o pronombre que se coloca junto a otro sustantivo o pronombre para describirlo o identificarlo.

EJEMPLO I like the novels of the writer **James Jones.**

apóstrofo

- **para formar contracciones** (Ver también **contracción.**)
  EJEMPLOS shouldn't you'll let's '99

- **para formar los plurales de letras, números, símbolos y palabras usadas como palabras**
  EJEMPLOS *x*'s and *o*'s   too many *and*'s and *so*'s
  1990's [*or* 1990s]   CD's [*or* CDs]

- **para mostrar posesión**
  EJEMPLOS

  the farmer's wheat crop   the farmers' wheat crops

  men's fashions   someone's keys

  during the President and the First Lady's trip to South Africa

  one week's [*or* five days'] wages

artículo Los artículos *a* (un, una) *an* (un, una) y *the* (el, la, los, las) son los adjetivos usados con mayor frecuencia.

EJEMPLO **The** watch, **an** old possession of my mother's, was a fine example of Swiss workmanship.

bad (malo), *badly* (mal)

NO ESTÁNDAR Do you think this sushi smells badly?

ESTÁNDAR Do you think this sushi smells **bad?**

caso del pronombre El caso del pronombre es la forma que adopta un pronombre según su uso en una oración.

NOMINATIVO Last summer, **she** and **I** traveled to Boston and walked the Freedom Trail. [los sujetos de los verbos *traveled* y *walked*]

The only juniors on the prom committee are Chiaki and **he.** [parte del predicado nominative compuesto que se refiere al sujeto *juniors*]

Either one, Margo or **she,** will be glad to accompany you. [parte del apositivo compuesto al sujeto *one*]

B

C

We senior citizens are organizing a community walkathon. [sujeto que está seguido del apositivo sustantivo *senior citizens*]

Is Gioacchino Rossini the composer **who** wrote the opera *The Barber of Seville*? [sujeto del verbo *wrote*]

Do you know **who** the guest speaker will be? [predicado nominativo que se refiere al sujeto *speaker*]

I helped Simon more than **she.** [significando *more than she helped Simon*]

OBJETIVO Quincy accompanied **her** to Freedom Hall to see the African Heritage exhibit. [directo del verbo *accompanied*]

Miguel taught **them** some traditional Mexican folk songs, [indirecto del verbo *taught*]

The first tennis match was between Lupe and **me.** [parte del complemento compuesto de la preposición *between*]

The Nobel Peace Prize was awarded to both leaders, John Hume and **him.** [parte del apositivo compuesto a *leaders*, lo cual que es el complemento de la preposición *to*]

Our math teacher explained to **us** students what a magic square is. [complemento de la preposición *to*, que está seguido del apositivo sustantivo *students*]

Then the math teacher asked **us** to create some magic squares, [sujeto del infinitivo *to create*]

My neighbor Mr. Mukai often quotes Shakespeare, **whom** he considers the greatest writer of all time. [complemento directo del verbo *considers*]

One ruler about **whom** I would like to learn more is Hatshepsut, the first woman pharaoh. [complemento de la preposición *about*]

I helped Simon more than **her.** [signficando *more than I helped her*]

POSESIVO **Your** computer can process data faster than **mine** can. [*Your* está usado como un adjetivo precedente a un sustantivo; *mine* está usado como el sujeto del verbo *can.*]

Her sliding safely into home plate in the bottom of the ninth inning tied the game, [pronombre precedente al gerundio *sliding*]

cláusula Una cláusula es un grupo de palabras que contiene un sujeto y un verbo, y que se usa como una oración completa o como parte de una oración.

CLÁUSULA INDEPENDIENTE   Robert Graves was an English poet and writer

CLÁUSULA SUBORDINADA   who was famous for the novel *I, Claudius.*

cláusula adjetiva Una cláusula adjetiva es una cláusula subordinada que modifica a un sustantivo o a un pronombre.

EJEMPLO   The years **that Mom likes to remember** are the late 1960s.

cláusula adverbial Una cláusula adverbial es una cláusula subordinada que modifica a un verbo, a un adjetivo o a un adverbio.

EJEMPLO   **While he was driving,** Jerry listened to news reports on the radio.

cláusula esencial/frase esencial Una cláusula o frase esencial o restrictiva es necesaria para dar significado a la oración, y no debe separarse con comas.

EJEMPLOS   Any pilots **who have already logged more than two hundred hours** will be excused from training. [cláusula esencial]

Students **competing for the first time** must report to Mr. Landis. [frase esencial]

cláusula independiente Una cláusula independiente (también llamada *cláusula principal*) expresa un pensamiento completo y puede usarse de manera aislada como una oración.

EJEMPLO   **The game was afoot,** as Holmes would say, and **no dawdling would be tolerated.**

cláusula no esencial/frase no esencial Una cláusula o frase no esencial o no restrictiva agrega información innecesaria a la idea principal de la oración y se separa con comas.

EJEMPLOS   The tourists on the pier, **who had all agreed to wear the same color combinations,** were becoming restless. [cláusula no esencial]

Our cats Boots and Bandit, **those two scamps,** are hiding behind the curtains, [frase no esencial]

cláusula subordinada Una cláusula subordinada (también llamada *cláusula dependiente*) no expresa un pensamiento completo y no puede usarse de manera aislada como una oración. (Ver también **cláusula adjetiva, cláusula adverbial y cláusula nominativa.**)

EJEMPLOS **What you need** is a nap. [cláusula nominal]

The kitten **that Sally wants** is over there. [cláusula adjetiva]

The firefighters had to wait **until the wind died down.** [cláusula adverbial]

cláusula sustantiva Una cláusula sustantiva es una cláusula subordinada que se usa como sustantivo.

EJEMPLO The prize goes to **whoever comes in first.**

coma

■ **en una serie**

EJEMPLOS Ms. Cámara explained the differences between a meteor, a meteoroid, and a meteorite.

On his vacation in Alaska, Jason went kayaking, bobsledding, and rock climbing.

■ **en oraciones compuestas**

EJEMPLOS Alberto has written three drafts of his essay on transcendentalism, and he is not satisfied with any of them.

I nominated my best friend, Elena, for junior class president, but she surprised me by declining the nomination.

■ **en cláusulas y frases no esenciales**

EJEMPLOS Pa-out-She, an ancient Chinese scholar, is credited with compiling the first dictionary.

Carlos Chavez, who composed symphonies and ballets, founded the Symphony Orchestra of Mexico.

■ **en elementos introductorios**

EJEMPLOS On the surface of the moon, a person would weigh about one sixth of what he or she weighs on the earth's surface.

After they had read several of the fables attributed to Aesop, the students discussed the moral lessons that the fables teach.

■ **en interrupciones**

EJEMPLOS The most fascinating exhibit in the museum, in my opinion, is the huge Egyptian tomb that visitors are allowed to explore.

Nocturnal animals, such as armadillos, hunt and feed at night and rest during the day.

■ **en situaciones convencionales**

EJEMPLOS On Friday, July 9, 1999, the Wilsons set out on a road trip from Bangor, Maine, to Seattle, Washington.

I mailed the letter to 645 Pinecrest Ave., Atlanta, GA 30328-0645, on 16 October 2000.

comillas

■ **en cita directa**

EJEMPLO "Before I make my ruling," said the judge, "I want to meet with both counsels in my chambers."

■ **con otros signos de puntuación** (Ver también el ejemplo anterior.)

EJEMPLOS "In what year was the Great Wall of China completed?" asked Neka.

Is Robert Frost the poet who said that a poem should "begin in delight and end in wisdom"?

The teacher asked, "Who are the speakers in Gwendolyn Brooks's poem 'We Real Cool'?"

■ **en títulos**

EJEMPLOS "The Bells of Santa Cruz" [cuento corto]

"Mother to Son" [poema breve]

"Backwater Blues" [canción]

comparación de modificadores

■ **comparación de adjetivos y adverbios**

Positivo	Comparativo	Superlativo
soft	soft**er**	soft**est**
early	earl**ier**	earl**iest**
effective	**more (less)** effective	**most (least)** effective
rapidly	**more (less)** rapidly	**most (least)** rapidly
far	**farther (further)**	**farthest (furthest)**

■ **comparación de dos**

EJEMPLOS   Our science teacher asked us, "Which is **heavier,** a pound of feathers or a pound of lead?"

Which of these two automobiles do you think operates **more efficiently?**

■ **comparación de más de dos**

EJEMPLOS   Founded in 1636, Harvard is the **oldest** university in the United States.

Of the four debaters on the team, Yosuke argued **most persuasively.**

comparación doble   Una comparación doble es el uso no estandarizado de dos formas comparativas (por lo general incluye las palabras *more* y *–er*) o dos formas superlativas (por lo general *most* y *–est*) para expresar una comparación. En el uso estandarizado, la forma correcta es la comparación simple.

NO ESTÁNDAR   This salsa is more spicier than the salsa that you normally make.

ESTÁNDAR   This salsa is **spicier** [*or* **more spicy**] than the salsa that you normally make.

complemento   Un complemento es una palabra o grupo de palabras que completa el significado de un verbo.

EJEMPLOS   Papa sent **me letters** and **postcards.**

This room is **quiet;** it will be my **study.**

complemento del sujeto   Un complemento del sujeto es una palabra o grupo de palabras que completa el significado del verbo de enlace e identifica o modifica al sujeto.

EJEMPLOS   Biarritz is a very popular **resort.**

Biarritz is very **popular.**

complemento directo   El complemento directo es la palabra o grupo de palabras que recibe la acción del verbo o muestra el resultado de una acción. Un complemento directo responde las preguntas *¿quién?* o *¿qué?* después de un verbo transitivo.

EJEMPLO   Every Friday night, we eat **fish.**

complemento indirecto   El complemento indirecto es un sustantivo, pronombre o grupo de palabras que con frecuencia aparece en oraciones que contienen complementos directos. El complemento indirecto dice *a quién* o *a qué* (o *para quién* o *para qué*) se realiza la acción del verbo transitivo. El complemento indirecto generalmente precede los complementos directos.

EJEMPLO   In Roman mythology, Mercury gave **gods** messages from humans.

complemento objetivo   El complemento objetivo es una palabra o grupo de palabras que completa el significado de un verbo transitivo al identificar o modificar al complemento directo.

EJEMPLO   The Hartleys painted their bookcases **black**.

concordancia   La concordancia es la correspondencia entre las formas gramaticales. Las formas gramaticales concuerdan cuando tienen el mismo género, persona y número.

■ **de pronombres y antecedentes**

SINGULAR   **Nathan** cannot find **his** driver's license.

PLURAL   The **dancers** train hard every day, striving to perfect **their** performances.

SINGULAR   Does **everyone** in the cast know **his or her** lines?

PLURAL   Do **all** of the actors know **their** lines?

SINGULAR   Neither **Mariah** nor **Claire** has decided whether **she** will play basketball this season.

PLURAL   **Mariah** and **Claire** have not decided whether **they** will play basketball this season.

■ **de sujetos y verbos**

SINGULAR   The **chief executive officer is** confident that the corporation will remain competitive.

The **chief executive officer,** along with the stockholders, **is** confident that the corporation will remain competitive.

PLURAL   The **stockholders are** confident that the corporation will remain competitive.

The **stockholders,** along with the chief executive officer, **are** confident that the corporation will remain competitive.

SINGULAR   **Each** of the planets **revolves** around the sun.

PLURAL   **All** of the planets **revolve** around the sun.

SINGULAR   Normally, **Matthew or Julia writes** the club's monthly newsletter.

PLURAL   Normally, **Matthew and Julia write** the club's monthly newsletter.

SINGULAR	Here **is** my **report** on the history of the Japanese theater.
PLURAL	Here **are** my **notes** on the history of the Japanese theater.
SINGULAR	**One hundred dollars is** what we paid for this painting.
PLURAL	**One hundred dollars** with consecutive serial numbers **were found** in an old shoe box.
SINGULAR	*Clubhouse Detectives* **is** a good movie.
PLURAL	The young **detectives are investigating** the disappearance of a neighbor.
SINGULAR	**Is physics offered** at your school?
PLURAL	**Are** my **sunglasses** in your car?
SINGULAR	Soledad is one applicant **who qualifies** for the job.
PLURAL	Soledad is one of the applicants **who qualify** for the job.
SINGULAR	Soledad is the only one of the applicants **who qualifies** for the job.

conjunción Una conjunción une palabras o grupos de palabras.

EJEMPLOS The long line of moviegoers **and** their families **or** friends stretched around the block, **for** it was **not only** a beautiful night **but also** a national holiday.

Turn off the lights **before** you leave.

construcción elíptica Una construcción elíptica es una cláusula de la cual se han omitido palabras.

EJEMPLO Aunt Zita is much more outgoing **than Mother [is].**

contracción Una contracción es una forma abreviada de una palabra, numeral o grupo de palabras. Los apóstrofos en las contracciones indican dónde se han omitido letras o números. (Ver también **apóstrofo.**)

EJEMPLOS you're [you are]   here's [here is]
          who's [who is o who has] they're [they are]
          wasn't [was not]   it's [it is o it has]
          can't [cannot]   don't [do not]
          '14–'18 war [1914–1918 war] o'clock [of the clock]

coordinación imperfecta La coordinación imperfecta ocurre cuando ideas no semejantes se presentan como si fueran coordinadas.

IMPERFECTA At the age of sixty-five, my grandmother retired from teaching school, but within a year she grew restless and bored, for she missed the camaraderie of her colleagues and the exuberance of the students, so she decided to become a substitute teacher, and now she is back in the classroom nearly every day, and she is enjoying life again.

REVISADA At the age of sixty-five, my grandmother retired from teaching school. Within a year, however, she grew restless and bored, for she missed the camaraderie of her colleagues and the exuberance of the students. As a result, she decided to become a substitute teacher. Now she is back in the classroom nearly every day and is enjoying life again.

corchetes

EJEMPLOS In his introduction to Victorian poetry, the teacher explained, "Many people mistakenly attribute [Elizabeth Barrett] Browning's 'Sonnet 43,' which begins with the famous line 'How do I love thee? Let me count the ways,' to William Shakespeare."

Of all of the Navajo gods, the most revered is Changing Woman (often called Earth Woman [the belief is that her spirit inhabits the earth]).

cursivas

■ **en títulos**

EJEMPLOS *A History of the Supreme Court* [libro]
Scientific American [revista periódica]
Perseus with the Head of Medusa [obra de arte]
A Little Night Music [composición musical extensa]

■ **con palabras, letras y símbolos que se usan como tales y en palabras extranjeras**

EJEMPLOS You misspelled *exhilaration* by leaving out the *h*.
A *cause célèbre* is a scandal or a controversial incident.

dos puntos

■ **antes de las listas**

EJEMPLOS   Central America comprises the following nations: Belize, Costa Rica, El Salvador, Guatemala, Honduras, Nicaragua, and Panama.

Today, the discussion in our world history class focused on the beliefs and teachings of three philosophers of ancient Greece: Socrates, Plato, and Aristotle.

■ **en situaciones comunes**

EJEMPLOS   8:45 p.m.

Genesis 7:1–17

Bulfinch's Mythology: *The Age of Fable, The Age of Chivalry, Legends of Charlemagne*

Dear Dr. Sabatini:

empalme de coma

empalme de coma El empalme de coma consiste en unir erróneamente dos oraciones completas con una coma. (Ver **oración fusionada y oraciones seguidas.**)

EMPALME DE COMA   I asked the librarian to suggest a contemporary novel about family values, she highly recommended *Mama Flora's Family* by Alex Haley and David Stevens.

REVISADO   I asked the librarian to suggest a contemporary novel about family values, **and** she highly recommended *Mama Flora's Family* by Alex Haley and David Stevens.

REVISADO   I asked the librarian to suggest a contemporary novel about family values; she highly recommended *Mama Flora's Family* by Alex Haley and David Stevens.

REVISADO   I asked the librarian to suggest a contemporary novel about family values. She highly recommended *Mama Flora's Family* by Alex Haley and David Stevens.

estructura paralela

estructura paralela Una estructura paralela es el uso de las mismas formas o estructuras gramaticales para balancear ideas relacionadas en una oración.

NO PARALELA   The job requires someone with a college degree in computer programming and who has excellent communications skills.

PARALELA   The job requires someone **with a college degree in computer programming** and **with excellent communications skills.** [dos frases preposicionales]

PARALELA	The job requires someone **who has a college degree in computer programming** and **who has excellent communications skills.** [dos cláusulas adjetivas]

forma base La forma base, o infinitivo, de un verbo es una de las cuatro partes principales de un verbo.

EJEMPLO	We thought we heard something **move** downstairs.

fragmento (Ver **fragmento de oración.**)

fragmento de oración Un fragmento de oración es un grupo de palabras que incluye signos de puntuación como si fuera una oración completa, pero que no incluye un sujeto o un verbo solamente, o que no expresa un pensamiento completo.

FRAGMENTO	A beautiful cantata composed by George Frideric Handel.
ORACIÓN	The chorus sang a beautiful cantata composed by George Frideric Handel.
FRAGMENTO	The scene in which an ocean current sweeps the swimmers into an underwater cave.
ORACIÓN	The scene in which an ocean current sweeps the swimmers into an underwater cave is the most exciting part of the movie.

frase Una frase es un grupo de palabras relacionadas que no contiene sujeto ni verbo, y que puede usarse como parte independiente del discurso.

EJEMPLOS	Goethe, **probably Germany's greatest writer,** represents the best **of the classical and romantic traditions.** [*Probably Germany's greatest writer* es una frase apositiva. *Of the classical and romantic traditions* es una frase preposicional.] **Always to tell the truth** requires courage. [*Always to tell the truth* es una frase en infinitivo.] **Sitting in the bleachers,** we cheered for our team. [*Sitting in the bleachers* es una frase en participio.]

frase adjetiva Una frase preposicional que modifica a un sustantivo o a un pronombre es una frase adjetiva.

EJEMPLO	Cars **in Europe and Asia** are generally smaller than cars **in North America.**

frase adverbial Una frase preposicional que modifica a un verbo, a un adjetivo o a un adverbio es una frase adverbial.

EJEMPLO   **Before dinner,** Dr. Laplace was called away on an . urgent case.

frase apositiva Una frase apositiva consta de un apositivo y sus modificadores.

EJEMPLO   James Jones, **the author of _From Here to Eternity,_** lived for many years in Paris.

frase de verbal Una frase de verbal consta de una forma verbal y sus modificadores y complementos. (Ver también **frase en gerundio, frase en infinitivo y frase en participio.**)

EJEMPLOS   **Uprooted by the storm,** the oak lay across the path. [frase en participio]

Our dog Scooter loves **meeting new people.** [frase en gerundio]

frase en gerundio Una frase en gerundio consta de un gerundio y sus modificadores o complementos.

EJEMPLO   **Collecting Beatles memorabilia** is my uncle's hobby.

frase en infinitivo Una frase en infinitivo es una frase que consta de un infinitivo y sus modificadores y complementos.

EJEMPLO   **To play the piano well** has long been an ambition of mine.

frase en participio Una frase en participio consta de un participio y sus complementos y modificadores.

EJEMPLO   The kangaroo, **leaping ever farther and higher,** was soon out of sight.

frase prepositiva Una frase prepositiva incluye una preposición, un sustantivo o un pronombre llamado objeto de la preposición y los modificadores de ese objeto. (Ver también **objeto de una preposición.**)

EJEMPLO   Finally, someone went **for additional refreshments.**

frase verbal Una frase verbal consta de un verbo principal y al menos un verbo auxiliar.

EJEMPLO   He **has** rarely **been** so cheerful in the morning.

gerundio

Un gerundio es una forma verbal terminada en −*ing* que se usa como sustantivo.

EJEMPLO **Procrastinating** leads nowhere, as my mom always says.

good (bueno), *well* (bien)

EJEMPLOS Paul is a **good** employee.

Paul works **well** [*not* good] with others and performs his duties effectively.

guión

- **para dividir palabras**

  EJEMPLO Both Ming and I wish that our school offered more courses in computer courses earlier in the day.

- **en números compuestos**

  EJEMPLO Ms. Hughes served as president of the company for twenty-one years.

- **con prefijos y sufijos**

  EJEMPLOS The football season begins in mid-August.
  I think this salsa is fat-free.

guión largo

EJEMPLO My grandparents—my mother's parents, that is—moved to California before my mother was born.

infinitivo

Un infinitivo es una forma verbal, en general precedida por *to*, como sustantivo, adjetivo o adverbio.

EJEMPLO **To understand,** read the book.

interjección

Una interjección expresa emoción y no tiene ninguna relación gramatical con el resto de la oración.

EJEMPLO **Oh no!** The whole freeway's backed up for miles!

its, it's

Escoger entre *its* y *it's* es un problema en inglés porque los dos se confunden a menudo. Se presentan aquí para demostrar su uso correcto en inglés. (No hay problema en español.)

- *Its* se usa para indicar el posesivo.

  EJEMPLO **Its** [Canada's] capital is Ottawa.

■ *It's* es una contracción para *it is* o *it has*.
   EJEMPLOS   Brrr! **It's** [It is] cold outside.
                  It's [It has] been showing here since early this morning.

letras mayúsculas

■ **en abreviaturas y acrónimos** (Ver también **abreviatura.**)

■ **en palabras de inicio**
   EJEMPLOS   **M**y sister writes in her journal every night.
                  Omar asked, **"W**ould you like to play on my team?"
                  Dear Ms. Reuben:
                  Sincerely yours,

■ **de nombres y adjetivos propios**

Nombre propio	Sustantivo común
Richard the Lion-Hearted	líder
Australia	continente
Costa Rica	país
Santa Clara County	condado
Quebec Province	provincia
Liberty Island	isla
Narragansett Bay	masa de agua
Mount Makalu	montaña
Mesa Verde National Park	parque
Timpanogos Cave	cueva
the Northwest	región
Twenty-fourth Street	calle
Parent-Teacher Association (**PTA**)	organización
Democratic Party (or party)	partido político
Industrial Revolution	suceso histórico
Middle Ages	período histórico
World Series	evento especial
Labor Day	día festivo
January, May, August, October	meses
Oglala Sioux	gente
Shinto	religión

continúa

continúa

Nombre propio	Sustantivo común
God (*but* the god Thor)	deidad
Rosh Hashana	días sagrados
Veda	escritura sagrada
First Interstate World Center	edificio
Presidential Medal of Freedom	condecoración
Uranus	planeta
Beta Centauri	estrella
Corona Borealis	constelación
Dona Paz	nave
Discovery	nave espacial
Chemistry I (*but* chemistry)	materia escolar
Hindi	idioma

■ **en títulos**

EJEMPLOS   Mayor Biondi [antes de un nombre]

Bill Biondi, the mayor of our town [después de un nombre]

Thank you, Mayor, [discurso directo]

Aunt Katarina [but my aunt Katarina]

Glow-in-the-Dark Constellations: A Field Guide for Young Stargazers [libro]

A River Runs Through It [película o libro]

Planet Safari [programa de televisión]

Landscape with the Flight into Egypt [obra de arte]

Hymns from the Rig Veda [composición musical]

"Wonderful World" [canción]

"The Jilting of Granny Weatheran" [cuento corto]

"Stopping by Woods on a Snowy Evening" [poema]

National Geographic World [revista]

the *Denver Rocky Mountain News* [periódico]

Hi and Lois [tira cómica]

M

lie, lay

Escoger entre *lie* y *lay* es un problema en inglés porque los dos se confunden a menudo. Se presentan aquí para demostrar su uso correcto en inglés. (No hay problema en español.)

- El verbo *lie* quiere decir "acostarse" Se refiere a una persona o un animal.

EJEMPLOS   For several weeks, straw **lies** over all of our backyard.

- El verbo *lay* quiere decir "poner". Se refiere a un objeto.

EJEMPLOS   We **laid** straw on the ground to cover the grass seed.

modificador
Un modificador es una palabra o grupo de palabras que hace más específico el significado de otra palabra o grupo de palabras.

EJEMPLO   Ronald is a **prominent** attorney **in a small Kansas town.**

modificador colgante
Un modificador colgante es una palabra, frase o cláusula modificadora que no modifica de manera clara y perceptible una palabra o grupo de palabras en una oración.

COLGANTE   Proofreading his report on mummification and other ancient Egyptian practices, a few errors, including a dangling modifier, were discovered.

REVISADO   Proofreading his report on mummification and other ancient Egyptian practices, **Richard** discovered a few errors, including a dangling modifier.

modificador mal ubicado
Un modificador erróneo es una palabra, frase o cláusula que parece modificar a la palabra o palabras incorrectas en una oración.

MAL UBICADO   Chicle is the main ingredient in chewing gum made from the sap of the sapodilla tree. [El chicle se hace de la savia del árbol zapote, no la goma de mascar.]

REVISADO   Chicle, **made from the sap of the sapodilla tree,** is the main ingredient in chewing gum.

modo
El modo es la forma que un verbo toma para indicar la actitud de la persona que lo usa. (Ver también **modo imperativo, modo indicativo,** y **modo subjuntivo.**)

modo imperativo
El modo imperativo se usa para expresar una orden o una petición directa.

EJEMPLOS   **Name** and **describe** the Seven Wonders of the ancient world.

Ladies and gentlemen, please **stand** for the singing of our national anthem.

modo indicativo   El modo indicativo expresa un hecho, una opinión o una pregunta.

EJEMPLOS   Denzel Washington **has received** considerable praise for his performance in the movie.

Denzel Washington, in my opinion, **deserves** an Academy Award.

Didn't Denzel Washington **win** an Oscar for his performance?

modo subjuntivo   El modo subjuntivo expresa una sugerencia, una necesidad, una condición contraria a los hechos o un deseo.

EJEMPLOS   Brad recommended that Katie **be appointed** chairperson. [sugerencia]

If I **were** you, Sinan, I would call Yori and apologize. [condición contraria al hecho]

Kelly wishes she **were** taller, [deseo]

negativo doble   Un negativo doble es el uso no estandarizado de dos o más palabras de negación cuando es suficiente usar sólo una.

NO ESTÁNDAR   When I met the President, I was so nervous that I couldn't hardly speak.

ESTÁNDAR   When I met the President, I was so nervous that I **could hardly** speak.

NO ESTÁNDAR   The field trip to the petting zoo won't cost the children nothing.

ESTÁNDAR   The field trip to the petting zoo **won't cost** the children **anything.**

ESTÁNDAR   The field trip to the petting zoo **will cost** the children **nothing.**

número   El número es la forma que adquiere una palabra para indicar si es singular o plural.

SINGULAR door	I	loaf	mouse
PLURAL doors	we	loaves	mice

objeto de una preposición El objeto de una preposición es el sustantivo o pronombre con el que termina una frase prepositiva.

EJEMPLO   In the **general store** she found a battery for her **watch.** [*In the general store* y *for her watch* son frases preposicionales.]

oración Una oración es un grupo de palabras que contiene un sujeto y un verbo, y que expresa un pensamiento completo.

EJEMPLO   At sunrise the bats returned to the cave.

oración compleja Una oración compleja incluye una cláusula independiente y al menos una cláusula subordinada.

EJEMPLOS   Angel Falls, which is the world's highest waterfall, was named for the aviator James Angel, who crash-landed near the falls in 1937.

As we read the historical play by Shakespeare, the teacher pointed out several anachronisms, which are things that are out of their proper time in history.

oración compuesta Una oración compuesta incluye dos o más cláusulas independientes, pero no incluye cláusulas subordinadas.

EJEMPLOS   The African elephant is the largest land animal, and the Savi's pygmy shrew, also indigenous to Africa, is the smallest.

The first Women's Rights Convention was held in 1848 in Seneca Falls, New York; today, the city is the home of the National Women's Hall of Fame.

oración compuesta y compleja Una oración compuesta y compleja incluye dos o más cláusulas independientes y al menos una cláusula subordinada.

EJEMPLOS   Animals that live in the desert, such as the camel, the mule deer, and the kangaroo rat, require very little water to survive; in fact, most desert animals can go several days without drinking any water.

Maya Angelou, who is one of our country's most gifted authors, has written short stories, novels, plays, and poems; but she is perhaps best known for her autobiographical work *I Know Why the Caged Bird Sings*.

oración declarativa Una oración declarativa hace una

182

GUÍA DE CONSULTA RÁPIDA

declaración o afirmación y termina con un punto.

EJEMPLO   Euripides was a famous Greek playwright.

oración exclamativa Una oración exclamativa expresa sentimientos intensos y termina con un signo de exclamación.

EJEMPLO   That's absolutely fantastic!

oración fusionada Una oración fusionada es una oración seguida en la que no se usa ningún signo de puntuación para separar oraciones completas. (Ver **empalme de coma y oraciones seguidas.**)

FUSIONADA   Last night, a heavy snowfall blanketed our community consequently, all schools and many businesses in the area were closed today.

REVISADA   Last night, a heavy snowfall blanketed our community; consequently, all schools and many businesses in the area were closed today.

REVISADA   Last night, a heavy snowfall blanketed our community. Consequently, all schools and many businesses in the area were closed today.

oración imperativa Una oración imperativa da una orden o hace una petición y termina con un signo de admiración o un punto.

EJEMPLOS   Please return this map to Mr. Miller.

Get out of that tree now!

oración interrogativa Una oración interrogativa hace una pregunta y termina con un signo de interrogación.

EJEMPLO   Ma'am, are you sure you spoke to Dr. Ryan in person?

oraciones seguidas Una oración seguida consiste en dos o más oraciones completas que se van seguidas como una sola. (Ver también **empalme de coma** y **oración fusionada.**)

ORACION SEGUIDA   Barney Oldfield (1877–1946) was the first race-car driver to go at a speed of a mile per minute, he won his first race at Detroit in 1902.

REVISADO   Barney Oldfield (1877–1946) was the first race-car driver to go at a speed of a mile per minute. He won his first race at Detroit in 1902.

REVISADO   Barney Oldfield (1877–1946) was the first race-car driver to go at a speed of a mile per minute; he won his first race at Detroit in 1902.

oración simple Una oración simple incluye una cláusula independiente, pero no incluye cláusulas subordinadas.

EJEMPLOS   The relatively long word *sesquipedalian* means "a long word."

Are Justin and Suzanne going with you to Autumn Applefest this weekend?

paréntesis

EJEMPLOS   The seven colors of the spectrum **(**think of a rainbow**)** are as follows: red, orange, yellow, green, blue, indigo, and violet **(**See diagram C.**)**

participio Un participio es una forma verbal que puede usarse como adjetivo.

EJEMPLO   **Astounded,** Mother could only nod her head in assent.

predicado El predicado es la parte de la oración que dice algo acerca del sujeto.

EJEMPLO   Ed **throws an unforgettable fastball.**

predicado adjetivo Un predicado adjetivo es el adjetivo que completa el significado del verbo de enlace y que modifica al sujeto del verbo.

EJEMPLO   The White House aides seemed **worried** and **uncertain** about the latest developments.

predicado nominal Un predicado nominal es una palabra o grupo de palabras que completa el significado del verbo de enlace e identifica o se refiere al sujeto del verbo.

EJEMPLO   My younger brother John is turning into a very influential **reporter.**

prefijo Un prefijo es parte de una palabra que se agrega al principio de una raíz.

EJEMPLOS

un + usual = **un**usual   il + logical = **il**logical
re + write = **re**write   pre + mature = **pre**mature
self + discipline = **self**-discipline   ex + senator = **ex**-senator
mid + October = **mid**-October   pre + Columbian = **pre**-Columbian

preposición Una preposición muestra la relación entre un sustantivo o pronombre y alguna otra palabra de la oración.

EJEMPLOS   The house **in** the valley, built **by** my grandfather Ernesto, has a view **of** the forest.

pronombre   Un pronombre es una palabra que se usa en lugar de uno o más sustantivos o pronombres.

EJEMPLOS   My cousin Rich, **who** worked in the Peace Corps when **he** was younger, wants to devote **his** life to helping people.

punto   (Ver **signos finales.**)

punto y coma

- **en oraciones compuestas, sin conjunción**

  EJEMPLO   More than six hundred paintings were created by the Dutch artist Rembrandt; nearly one hundred of them were self-portraits.

- **en oraciones compuestas con adverbios de conjunción**

  EJEMPLO   Usually, the planet farthest from the sun is Pluto; **however,** because of its orbit, Pluto is at times closer to the sun than is Neptune.

- **entre series de elementos separados por comas, cuando los elementos también contienen comas**

  EJEMPLO   For her research paper Marva wrote about three women who were awarded the Nobel Peace Prize: Jane Addams, a cofounder of the American Civil Liberties Union; Mother Teresa, the founder of Missionaries of Charity in Calcutta, India; and Rigoberta Menchú, a human rights activist from Guatemala.

redundancia   La redundancia es el uso de palabras innecesarias o el uso de palabras rebuscadas cuando pueden usarse palabras más sencillas.

REDUNDANCIA   One of the articles in this magazine provides a number of suggestions that are practical for helping a person to make better his or her ability to concentrate.

REVISADA   This magazine article provides several practical suggestions for improving concentration.

referencia ambigua   La referencia ambigua ocurre cuando un pronombre se refiere incorrectamente a cualquiera de los dos antecedentes.

AMBIGUO	One difference between coniferous trees and broadleaf trees is that they produce cones instead of flowers.
CLARO	One difference between coniferous trees and broadleaf trees is that coniferous trees produce cones instead of flowers.

referencia débil   La referencia débil es el uso incorrecto de un pronombre para referirse a un antecedente que no ha sido expresado.

DÉBIL	The art teacher explained surrealism, but not until he showed me one did I fully understand his explanation.
REVISADO	The art teacher explained surrealism, but not until he showed me **a surrealist painting** did I understand his explanation.

referencia general   Una referencia general es el uso incorrecto de un pronombre para referirse a una idea general en vez de a un sustantivo específico.

GENERAL	To make food called glucose, a green plant uses water from its roots, a chemical called chlorophyll, and the energy from the sun. This is called photosynthesis.
REVISADO	To make food called glucose, a green plant uses water from its roots, a chemical called chlorophyll, and the energy from the sun. **This process** is called photosynthesis.

referencia indefinida   Una referencia indefinida es el uso incorrecto del pronombre *you*, *it* o *they* para referirse a ninguna persona o cosa en particular.

INDEFINIDO	In this week's edition of our community newspaper, it shows the official ballot that will be used for the upcoming local election.
REVISADO	This week's edition of our community newspaper shows the official ballot that will be used for the upcoming local election.
REVISADO	In this week's edition of our community newspaper is a reproduction of the official ballot that will be used for the upcoming local election.

rise, raise   *Rise* significa "levantarse" y no lleva un complemento directo. *Raise* significa "levantar" un objeto y por lo

186   ELEMENTS OF LANGUAGE | Fifth Course | *Spanish Resources*

general lleva un complemento directo.

EJEMPLOS   Dust **rises** behind the wild horses as they gallop into the canyon.

    As soon as she **raised** the hood of the car, she saw what was causing the noise.

set, sit

Sit, que significa "sentarse" raramente lleva un complemento directo. *Set*, que significa "poner", por lo general lleva un complemento directo.

EJEMPLOS   The children **sit** spellbound as the storyteller narrates the Russian folk tale "Baba Yaga."

    Dad requested, "Please **set** these crates of aluminum cans in the back of the truck and take them to the recycling center."

signos de exclamación (Ver **signos finales.**)

signos de interrogación (Ver **signos finales.**)

signos finales

■ **con oraciones**

EJEMPLOS   Spanakopita, a delicious Greek dish, is a thin shell of pastry dough filled with spicy spinach and feta cheese**.** [oración declarativa]

    Do you have a recipe for spanakopita**?** [oración interrogativa]

    Yum**!** [interjección] What a tasty dish this is**!** [oración exclamativa]

    Please give me your recipe**.** [oración imperativa]

■ **con abreviaturas** (Ver también **abreviaturas.**)

EJEMPLOS   The first American in space was Alan B. Shepard, Jr**.**

    Was the first American in space Alan B. Shepard, Jr.**?**

slow (lento), *slowly* (lentamente)

EJEMPLO   Led by the school's marching band, the homecoming parade proceeded **slowly** [not *slow*] through town. (La palabra *slowly* es un adverbio que modifica la palabra *proceeded*. *Slow* es un adjetivo, no un adverbio.)

subrayar (Ver también **cursivas.**)

sufijo Un sufijo es una parte de una palabra que se agrega al final de una raíz.

EJEMPLOS

love + ly = love**ly**	ready + ly = read**ily**
plain + ness = plain**ness**	delay + ing = delay**ing**
remove + able = remov**able**	notice + able = notice**able**
win + er = win**ner**	perform + er = perform**er**

sujeto El sujeto dice de quién o de qué trata la oración.

EJEMPLO The **aquarium** contains a fascinating array of tropical fish.

sujeto doble Un sujeto doble ocurre cuando se usa un pronombre innecesario después del sujeto de una oración.

NO ESTÁNDAR Kiyoshi and his sister, although they are twins, they do not have the same birthday.

ESTÁNDAR **Kiyoshi and his sister,** although they are twins, **do** not have the same birthday.

sustantivo Un sustantivo nombra una persona, lugar, objeto o idea.

EJEMPLO **Tyrell** is a **musician** of great **skill.**

tiempos verbales Los tiempos verbales indican el tiempo de la acción o el estado en que se expresa el verbo.

Presente	
I drive	we drive
you drive	you drive
he, she, it drives	they drive

Pretérito	
I gave	we gave
you gave	you gave
he, she, it gave	they gave

Futuro	
I will (shall) drive	we will (shall) drive
you will (shall) drive	you will (shall) drive
he, she, it will (shall) drive	they will (shall) drive

Presente perfecto	
I have driven	we have driven
you have driven	you have driven
he, she, it has driven	they have driven

Pasado perfecto	
I had driven	we had driven
you had driven	you had driven
he, she, it had driven	they had driven

Futuro perfecto	
I will (shall) have driven	we will (shall) have driven
you will (shall) have driven	you will (shall) have driven
he, she, it will (shall) have driven	they will (shall) have driven

verbal Un *verbal* es una forma del verbo usado como un adjetivo, un adverbio o un sustantivo. (Ver también **participio, gerundio** e **infinitivo.**)

EJEMPLOS   **Thrilling** as the balloon ride may have been for you, it was certainly **tiring** for me. [participio]

I intend **to win.** [infinitivo]

verbo Un verbo expresa una acción o estado.

EJEMPLOS   An interpreter **translates** languages orally.

Bern **is** the capital of Switzerland.

verbo copulativo Un verbo copulativo conecta al sujeto con una palabra que identifica o describe al sujeto.

EJEMPLO As she **grew** older, her ambitions changed.

verbo de acción Un verbo de acción expresa una actividad física o mental.

EJEMPLO The herd of zebra **galloped** across the plains.

verbo intransitivo Un verbo intransitivo es un verbo que no lleva complemento.

EJEMPLO The dogs **barked** as the camels **passed.**

verbo irregular Un verbo irregular es un verbo que forma su pretérito y su participio pasado de una manera más que al añadir -*d* o -*ed* a la forma base. (Ver también **verbo regular.**)

Forma base	Participio presente	Pretérito	Participio pasado
be	[is] being	was, were	[have] been
become	[is] becoming	became	[have] become
begin	[is] beginning	began	[have] begun
catch	[is] catching	caught	[have] caught
put	[is] putting	put	[have] put
take	[is] taking	took	[have] taken
throw	[is] throwing	threw	[have] thrown

verbo regular Un verbo regular es aquel que forma su pretérito y participio pasado al añadir -*d* o -*ed* a la forma base. (Ver también **verbo irregular.**)

Forma base	Participio presente	Pretérito	Participio pasado
ask	[is] asking	asked	[have] asked
drown	[is] drowning	drowned	[have] drowned
receive	[is] receiving	received	[have] received
risk	[is] risking	risked	[have] risked
suppose	[is] supposing	supposed	[have] supposed
use	[is] using	used	[have] used

verbo transitivo   Un verbo transitivo es un verbo de acción que lleva complemento.

EJEMPLO   Pete **drove** the bus.

voz   La voz es la forma que adopta un verbo transitivo para indicar si el sujeto del verbo realiza o recibe la acción.

VOZ ACTIVA   Wolfgang Amadeus Mozart **composed** the opera *The Magic Flute.*

VOZ PASIVA   The opera *The Magic Flute* **was composed** by Wolfgang Amadeus Mozart.

voz activa   La voz activa es la voz que usa un verbo cuando expresa la acción realizada por el sujeto. (Veáse también **voz.**)

EJEMPLO   Mr. Intrator, the museum director, gingerly **handled** the Limoges vase.

voz pasiva   La voz pasiva es la voz que usa un verbo cuando expresa una acción dirigida al sujeto. (Ver también **voz.**)

EJEMPLO   Emile **has been given** a great responsibility.

who, whom

Who significa "quien" cuando se usa como el sujeto de un verbo. *Whom* significa "quien" cuando se usa como el complemento directo de un verbo o el complemento de una preposición.

EJEMPLOS   Among the American artists **whom** we have studied is Frederic Remington, **who** is famous for works that depict life on the American plains.

W

GUÍA DE CONSULTA RÁPIDA